O CALDEIRÃO AZUL

# MARCELO GLEISER
# O CALDEIRÃO AZUL

## O UNIVERSO, O HOMEM E SEU ESPÍRITO

7ª edição

EDITORA RECORD
RIO DE JANEIRO • SÃO PAULO
2023

CIP-BRASIL. CATALOGAÇÃO NA PUBLICAÇÃO
SINDICATO NACIONAL DOS EDITORES DE LIVROS, RJ

G468c
7ª ed.

Gleiser, Marcelo
O caldeirão azul: o universo, o homem e seu espírito /
Marcelo Gleiser. – 7ª ed. – Rio de Janeiro: Record, 2023.

ISBN 978-85-01-11709-0

1. Filosofia e ciência. 2. Religião e ciência. I. Título.

19-56141

CDD: 215
CDU: 279.21

Meri Gleice Rodrigues de Souza – Bibliotecária – CRB-7/6439

Copyright © Marcelo Gleiser, 2019

Todos os direitos reservados. Proibida a reprodução, armazenamento
ou transmissão de partes deste livro, através de quaisquer meios, sem
prévia autorização por escrito.

Texto revisado segundo o Acordo Ortográfico da Língua Portuguesa de 1990.

Direitos exclusivos desta edição reservados pela
EDITORA RECORD LTDA.
Rua Argentina, 171 – Rio de Janeiro, RJ – 20921-380 – Tel.: (21) 2585-2000.

Impresso no Brasil

ISBN 978-85-01-11709-0

Seja um leitor preferencial Record.
Cadastre-se no site www.record.com.br
e receba informações sobre nossos
lançamentos e nossas promoções.

CÓPIA NÃO AUTORIZADA É CRIME
ABDR
ASSOCIAÇÃO BRASILEIRA DE DIREITOS REPROGRÁFICOS
RESPEITE O DIREITO AUTORAL
EDITORA AFILIADA

Atendimento e venda direta ao leitor:
sac@record.com.br.

Para todos aqueles que se questionam.

— Em cada explorador da Natureza
encontramos uma reverência religiosa.

Albert Einstein

# Sumário

Prólogo 13

## Parte I. Ciência e espiritualidade

A irresistível necessidade de acreditar 17

Um físico e um cardeal conversam sobre fé e ciência 23

Dos elétrons ao amor: a inatingível unidade do conhecimento 29

Do mito à ciência: será que podemos entender a origem de
todas as coisas? 35

O fim está próximo! (De novo?) 39

O que a ciência nos ensina sobre a arte de viver 43

Tensão criadora: uma reflexão para um novo século 47

Quando o inexplicável acontece contigo 51

A pergunta inevitável 57

Afinal, somos livres? 61

Seu destino é controlado pelo Universo? 65

Flertando com o desconhecido 69

Tributo ao fracasso 73

A beleza oculta da imperfeição 77

Mapeando a realidade: em busca de uma perfeição inatingível 83

Tudo muda? Da essência da Natureza às amizades      87
Além do ponto de ruptura: quando desafios físicos se
transformam em busca espiritual      91

## Parte II. A importância de ser humano

A questão alienígena      99
Uma breve história de Marte      107
Lições de sobrevivência que ETs me ensinaram      113
Em busca de outros mundos: da especulação à realidade      119
Terra, planeta único      123
A unidade da vida      127
Dos micróbios ao homem: a vida tem um objetivo?      131
Aprendendo com as crianças      135
A ciência é moral?      139

## Parte III. Um mundo em crise

Holocausto nuclear: história e futuro      149
Predação planetária      155
Tribalismo      161
O futuro que ninguém quer ver      167
Quando a Natureza nos ensina a sermos mais humanos      171
Quando o Estado naufraga, a ciência é a âncora      175

## Parte IV. O futuro da humanidade

O futuro das mentes e das máquinas que pensam      181
Passados treze anos, *Uma verdade inconveniente* é mais
inconveniente do que nunca      187
Viver a vida ou registrá-la nos celulares? Essa é a nova questão      193
A mente permanece um mistério      197
O homem que quer ser Deus: Frankenstein aos 200 anos      201
Bem-vindos à Era da Transcendência Digital      205

Liberdade pessoal e os perigos da ditadura digital 209

Quando um bebê tem três progenitores: revolução na genética
aponta para futuro incerto 213

A vida brilhando nas telas 217

Epílogo 221

# Prólogo

O caldeirão é onde o cozinheiro mistura os ingredientes, transformando-os na comida que alimenta nosso corpo e mente. É, também, onde o alquimista mistura os metais, buscando uma transmutação em que tanto ele quanto sua mistura se transformam em algo diferenciado: os metais, em ouro; o alquimista, em um ser iluminado. O caldeirão é o laboratório onde buscamos alguma forma de transcendência, o portal que nos transporta a uma nova realidade. É azul porque o nosso planeta, visto do espaço, é azul. O Caldeirão Azul é o palco das nossas vidas, da nossa busca incessante por transformar cada um de nossos dias em algo mais mágico, mais significativo.

O tema que conecta todos os meus escritos é simples: vejo a ciência como produto da nossa capacidade de nos maravilhar com o mundo a cada vez que nos engajamos com o mistério da criação. Na sua essência, encontramos o mesmo ímpeto que move o espírito religioso: como lidar com nossas questões existenciais mais profundas, nossa origem, nossa vida, nossa morte. Os seres humanos são criaturas peculiares, animais curiosos, capazes de imaginar o infinito, ao mesmo tempo inspirados e perplexos pelo que não compreendem. Através da minha pesquisa e dos meus escritos, vejo minha vida como a de um devoto: a devoção aos meus irmãos e irmãs humanos, ao nosso planeta raro e precioso, e ao mistério que nos cerca, e que tanto nos inspira a querer sempre saber mais.

Os ensaios que reúno neste volume, revisados e ampliados de publicações originais ao longo dos anos na *Folha de S.Paulo* e, nos Estados Unidos, na *National Public Radio* e na *Orbiter Magazine*, representam a cristalização de algumas das minhas ideias que considero as mais relevantes para o momento atual: nossa relação com o planeta e suas criaturas, com os membros da sociedade como um todo, e com a tecnologia, que está transformando, a passos estonteantes, quem somos e como nos relacionamos. Se nosso futuro é incerto, não devemos tomá-lo como já definido. Devemos, sim, pensar criticamente sobre as escolhas que fazemos e em como podemos nos tornar agentes das transformações que queremos ver no mundo. As incertezas do presente deveriam ter o efeito de mobilizar, e não de paralisar. Devemos isso às gerações futuras, que irão herdar o mundo que deixamos para elas.

Hanôver, 14 de março de 2019

## PARTE I

# CIÊNCIA E ESPIRITUALIDADE

# A irresistível necessidade de acreditar

Ao discutirmos a complexa relação entre ciência e religião, com frequência nos deparamos com posições polarizadas: ou se afirma "acredito" ou se afirma "não acredito", com total convicção em ambos os casos. Com frequência ainda maior, se perguntarmos no quê, exatamente, a pessoa acredita, ou de onde vem a necessidade de sua fé, nos deparamos com respostas vagas, que incluem "tradição", "comunidade", "mortalidade". Um grupo menor, que se dá a reflexões mais profundas, examina, questiona e reavalia sua fé regularmente, sabendo que o crer é fluido. Nossas convicções mudam com a idade e, com essas mudanças, muda, também, nossa relação com a fé.

Nessa polarização milenar, muita animosidade desnecessária vem da convicção infundada de que os que têm opinião diferente da nossa em relação à fé, ou os que acreditam de forma diferente, estão profundamente equivocados, ou são simplesmente tolos ou, pior, são infiéis que não merecem viver. Deixando de lado a radicalização trágica dos muçulmanos de organizações terroristas como ISIS ou Al-Qaeda, vimos exemplos mais amenos, mas não menos sintomáticos, do radicalismo entre ateus e cristãos nos debates presidenciais durante a eleição de Donald Trump nos EUA, e em várias eleições no Brasil, onde ateus são considerados os candidatos menos elegíveis. É impensável, hoje, ter um presidente que se proclama não crente nos Estados Unidos ou no Brasil.

Essa dicotomia é uma distorção cultural que precisa ser repensada.

Na realidade, existe todo um espectro de modalidades da fé humana, que ocupam o espaço entre o radicalismo extremo dos dois polos. Por exemplo, Francis Collins, diretor do Instituto Nacional de Saúde dos EUA — o órgão governamental que administra o maior número de bolsas de pesquisa nas áreas da medicina e da biologia —, não vê qualquer conflito entre ser cristão e ser cientista. Como ele, muitos cientistas veem a prática científica como mais um modo de admirar a obra divina, ou seja, como uma forma de devoção religiosa. Essa é uma tradição antiga, que inclui alguns dos patriarcas da ciência moderna, como Copérnico, Newton, Kepler e Descartes. A ruptura veio mais tarde, com o Iluminismo do século XVIII.

Para ateus radicais conhecidos do público, como o biólogo inglês Richard Dawkins, o escritor americano Sam Harris e o falecido jornalista inglês Christopher Hitchens, esse tipo de posição intermediária é inconsistente com os fundamentos da ciência: a Natureza é material, e a matéria é organizada segundo leis quantitativas. O objetivo da ciência é descobrir essas leis; não existe espaço para mais nada.

Segundo eles, qualquer posição conciliatória entre ciência e religião cria uma série de problemas filosóficos. Como exemplo, citam a coexistência incompatível do natural com o sobrenatural. Como a Natureza pode ser tanto natural quanto sobrenatural? Por definição, chamar um evento que ocorre e é percebido por alguém como sendo um "fenômeno sobrenatural" cria uma inconsistência básica: para que o fenômeno tenha sido observado, teve que emitir algum tipo de radiação eletromagnética (luz visível, radiação infravermelha etc.), que foi detectada por algum observador ou instrumento. "Eu *vi* um fantasma!" Em outras palavras, para um fenômeno ser detectado, tem que trocar energia com quem (ou com o que) o observa. É claro que um fenômeno chamado de sobrenatural, uma vez observado, é perfeitamente natural, mesmo se misterioso ou aparentemente inexplicável. Um fantasma que é visto não é mais uma entidade sobrenatural. E agora? Os ateus usam essa incompatibilidade como argumento definitivo contra a crença no sobrenatural e, por extensão, contra a religião. Sem se dar conta, acabam usando sua fé na não fé como prova, e acabam caindo em uma contradição, como veremos adiante.

Outros adotam a posição que o biólogo americano Stephen Jay Gould chamou de NOMA (do inglês, *Non-Overlapping Magisteria*, magistérios que não se superpõem), e compartimentalizam a ciência e a religião dentro de esferas limitadas de influência, afirmando algo como "a religião começa onde a ciência termina". Apesar de cômoda, essa posição não vai muito longe. À medida que a ciência avança, a fronteira entre os dois magistérios vai migrando, refletindo uma posição teológica antiquada conhecida como "Deus dos Vãos", a religião tapando os buracos da nossa ignorância científica. Isso é um tanto indignante para Deus, dado que o espaço para a crença vai diminuindo ao entendermos mais sobre o funcionamento do mundo natural. Me parece bem mais prudente basear a fé em algo mais abstrato do que nossa ignorância sobre o mundo. Além disso, afirmar categoricamente que o sobrenatural tem uma existência intangível e imensurável posiciona sua natureza além do discurso científico, anulando qualquer possibilidade de uma troca construtiva de ideias.

O fato é que a ciência e a religião claramente se superpõem na cabeça das pessoas, nas escolhas que fazemos na vida, nos desafios morais que a sociedade moderna enfrenta. É tragicamente inocente negar o poder da religião no mundo, com bilhões de pessoas declarando-se seguidores de algum tipo de fé, mesmo que muitas delas definam sua fé de forma vaga. Para muitos, a necessidade da fé vai além da crença, tendo um papel social essencial: ela cria alianças que restituem um senso de dignidade e de comunidade que governos muitas vezes deixam de oferecer. Numa realidade miserável, a visão divina enaltece o espírito.

Ademais, a posição dos ateus radicais é inconsistente com os parâmetros do método científico, algo que talvez surpreenda muita gente. Para entender isso, basta ver que o ateísmo é a crença na não crença, já que nega categoricamente a possibilidade da existência de qualquer tipo de divindade. O problema é que a ciência só pode negar categoricamente a existência de algo após observações absolutamente conclusivas. E observações *absolutamente* conclusivas não existem. Existem apenas convicções, baseadas num conhecimento parcial da realidade. Toda medida científica tem uma margem de erro e um limite de precisão. Como podemos ter certeza do que ainda não medimos? A posição mais consistente com o método científico é a do agnóstico, como haviam já percebido Thomas Huxley e Bertrand Russell, entre muitos outros: não vejo qualquer razão para crer, mas baseado no que sei não posso negar *absolutamente* a possibilidade de que alguma entidade divina exista. Como escreveu Huxley, criador do termo "agnóstico": "É errôneo afirmar que se tem certeza da verdade objetiva de uma proposição, a menos que seja fornecida evidência que justifique logicamente esta certeza."

Em vista da diversidade de posições, a questão essencial é a origem dessa necessidade de acreditar, que identificamos na maioria absoluta das culturas do passado e do presente. O que a crença oferece que tantos precisam?

Pertencer a um grupo religioso confere um senso de comunidade imediato. Ao encontrar outros membros de sua comunidade na igreja ou no templo, a pessoa vê sua crença justificada, dado que é compartilhada por tantos outros. Mais do que a crença em si, a pessoa se vê integrada num grupo com valores afins. Isso é tanto verdade para as pessoas de fé quanto para aquelas seculares, sejam elas ateias ou agnósticas. Seres humanos são criaturas tribais, e tribos definem-se a partir de certos símbolos, mitos ou código moral. Não há dúvida de que nossos ancestrais entenderam que existe uma enorme vantagem em pertencer a um grupo. Fazer parte de uma tribo oferecia uma proteção que aumentava as chances de sobrevivência num ambiente extremamente hostil: unidos venceremos. Tanto no passado quanto no presente, fazer parte de uma tribo confere legitimidade social imediata. Para muita gente, a fé pode ser a justificativa oferecida para participar de um grupo religioso, mas é o senso de comunidade, de valores divididos pelo grupo, que está por trás da devoção.

Existe, no entanto, outro aspecto da fé, bem mais subjetivo do que este tribal. Como descreveu o psicólogo americano William James em sua obra-prima *As variedades da experiência religiosa*, a experiência religiosa atinge seu clímax na subjetividade da experiência individual, na comunhão da pessoa com o desconhecido, na percepção de transcendência dos limites da existência humana, delineada pelas barreiras do espaço e do tempo. As visões e revelações dos profetas e dos santos, a experiência emocional do divino, ocorrem no indivíduo, mesmo quando induzidas pelo grupo (por exemplo, através de rituais). Existe muito mais no mundo do que aquilo que percebemos ou podemos medir, e essas características "ocultas" são igualmente importantes na nossa construção do que definimos como realidade.

Como escreveu James, "toda a sua vida subconsciente, seus impulsos, suas crenças, suas necessidades, são a premissa da sua existência consciente; existe algo dentro de você que sabe de forma absoluta que o resultado disso tudo deve ser mais verdadeiro do que qualquer tipo de argumento lógico, por mais articulado que seja, que tente contradizer essas convicções subconscientes".

Mesmo que o filósofo George Santayana e outros tenham criticado James por "encorajar a superstição", ninguém pode negar o fato de que a razão tem alcance limitado. A ciência, se vista como expressão da razão humana, espalha-se por todos os cantos do conhecimento de forma magnífica. Mas seu alcance não é ilimitado. Existe outra dimensão da fé, separada dos rituais tribais e da religião organizada, que dá expressão a uma necessidade primária que temos de comunhão com o desconhecido. Este é o aspecto mais universal da necessidade humana de crer, que transcende divisões arbitrárias da fé criadas no decorrer da história; as religiões, as tradições, os cultos, as tribos e suas regras. Não falo aqui de uma supersticiosidade irracional ou mística. O que identificamos é a necessidade individual da crença, expressa por cada um de forma variada.

Quando Einstein mencionou sua "emoção religiosa cósmica" para descrever sua conexão espiritual com a Natureza, tentava expressar precisamente essa atração humana pelo mistério, pelo desconhecido. "Espiritual" não implica necessariamente na crença em uma dimensão não material ou sobrenatural. O que pode surpreender a muitos — especialmente aos que veem cientistas por meio do estereótipo do racionalista frio — é que essa atração pelo mistério, em essência, uma atração espiritual pela Natureza, inspira muitos cientistas em seu trabalho. Não é Deus que se busca no questionamento científico, mas a transcendência do humano, a busca por uma dimensão além do cotidiano que dá sentido à nossa busca por sentido.

Ao estender sua curiosidade ao oceano do desconhecido, mesmo o cientista secular está praticando essa crença, expressando a necessidade universal que temos de conhecer nossa história e de explorar o novo, ampliando, assim, nossa visão da realidade.

# Um físico e um cardeal conversam sobre fé e ciência

Muitos de meus colegas de profissão, talvez a maioria deles, considerariam uma grande perda de tempo dividir um palco com um cardeal do Vaticano para conversar sobre ciência e religião. Os mais extremos diriam que fazer isso é dar à religião uma credibilidade que não merece. Dado que discordo frontalmente desse tipo de atitude radical proveniente do que hoje chamamos de cientificismo, em abril de 2016 fui ao Teatro Tuca, da Pontifícia Universidade Católica do Paraná, para conversar com o cardeal Gianfranco Ravasi, presidente do Pontifício Conselho de Cultura do Vaticano. Foi uma noite memorável e inspiradora.*

Dentro da tradição historicamente conservadora do Vaticano, fiquei surpreso com a atitude de Ravasi, de franca abertura à ciência. Afinal, esse é o mesmo Vaticano que, apenas em 1992, sob ordem do então papa João Paulo II, admitiu ter errado ao condenar Galileu Galilei *359 anos antes* por afirmar que a Terra gira em torno do Sol e não o contrário. Ravasi vem construindo conexões com cientistas do mundo inteiro, organizando debates públicos onde são discutidas questões de grande importância para

---

\* A conversa foi publicada no livro *À escuta do infinito: estamos mais perto de Deus?* Curitiba: PUCPress, 2018.

a sociedade, incluindo temas como a pesquisa e o uso das células-tronco na medicina, a ética do uso de drogas nos esportes, a possibilidade de a moralidade ser independente da religião e o futuro da espécie humana tendo em vista a integração crescente das tecnologias digitais nas nossas vidas.

Para estabelecer uma plataforma de suporte a essa iniciativa, Ravasi seguiu as diretrizes do papa Bento XVI e ressuscitou o Átrio dos Gentios, um fórum para promover o diálogo construtivo entre cristãos e não crentes, explorando questões relacionadas com "fé e razão, e cultura secular e Igreja". Interessante que o Átrio dos Gentios original ficava no Segundo Templo em Jerusalém, e designava a área onde judeus e não judeus podiam circular livremente, comprar e vender mercadorias, trocar dinheiro ou sacrificar animais. Foi ali que, segundo todos os evangelhos, Jesus teve sua altercação com os negociantes, acusando-os de perverter a santidade do Templo. No caso do Átrio mais recente, a ideia é abrir as portas da Igreja para uma discussão franca sobre questões de interesse para crentes e não crentes, supostamente com menos animosidade.

Abri a noite explicando como a ciência amplifica nossa visão da realidade, criando uma narrativa do mundo natural que é constantemente revisada; expliquei como a ciência contribuiu de forma essencial para mudar nossa visão de mundo no passado, e como continuará a fazê-lo no futuro, ao explorarmos os confins do mundo material, do nível subatômico e humano ao cosmológico. Mencionei Einstein, que nos convida ao engajamento com o "Mistério", a fonte que inspira o trabalho criativo tanto nas artes quanto nas ciências. Argumentei que existe uma dimensão espiritual na ciência, ao induzir uma relação mais íntima e profunda com a Natureza.

Argumentei, também, que a ciência moderna está redefinindo nossa posição no cosmo, distanciando-se do copernicanismo tradicional, que afirma que quanto mais aprendemos sobre o mundo menos importante somos. Essa interpretação é profundamente nociva para a percepção pública da ciência, já que afirma que a ciência não tem qualquer papel na nossa busca por sentido: qual o sentido da vida se vivemos num Universo gigantesco e frio, que pouco liga para nós? Ou, como se escuta dizer em debates mais populares, *a ciência roubou Deus da gente e não ofereceu nada em troca*. Minha posição, que chamo de *humanocentrismo*, vai de encontro a esta visão, propondo que a variedade de outros mundos no cosmo e a compreensão que temos hoje dos vários passos que a vida teve que dar para evoluir de simples células procariotas até seres humanos indicam que a vida inteligente seja extremamente rara, mesmo sem excluir sua possível existência em outros cantos da galáxia. O humanocentrismo tem consequências imediatas, já que nos transforma nessa entidade rara, máquinas moleculares capazes de sentir, pensar e de se questionar sobre a existência. Surpreendentemente, ao menos de forma metafórica, a ciência moderna nos restitui uma posição central no cosmo, como guardiões da vida e do planeta onde existimos.

Concluí propondo a necessidade de uma complementaridade do conhecimento humano, que vai além da simples tolerância das diferenças. Existem diferentes modos de entender e examinar a mesma questão, diferentes modos de se engajar com o mundo. Por exemplo, ao olharmos para um cálice de vinho, podemos examiná-lo sob várias perspectivas. Bioquimicamente, como produto de um processo de fermentação; opticamente, ao estudarmos sua cor, os reflexos da luz no cristal; fisicamente, como um fluido de certa densidade, em repouso a uma determinada temperatura e pressão atmosférica, no campo gravitacional da Terra; sociologicamente, como produto agrícola em algum país distante com certas leis trabalhistas; economicamente, como um produto que compete no mercado internacional; ecologicamente, como algo que implicou o desmatamento de alguma área, o uso de técnicas inseticidas próprias e os poluentes liberados na atmosfera no transporte da fazenda até a loja onde compramos a garrafa. Adicionalmente, temos outro lado para examinarmos o cálice de vinho, complementar a essas análises mais técnicas: sua beleza estética, a simetria das formas, a sensação de tocar e manipular o cálice, o aroma do vinho, seu gosto tão único e, talvez ainda mais importante, a companhia com quem estamos dividindo esse momento, as emoções que vêm dessa presença, o significado da experiência, única para cada um de nós.

Dentro dessa óptica, exigir de um crente uma prova concreta da existência de Deus não faz sentido. A fé consiste em acreditar no que não pode ser (ou não foi ainda) provado. Por outro lado, insistir que textos religiosos explicam ou podem prever fenômenos naturais de forma científica é uma proposta absurda. Como disse Galileu, a Bíblia não foi escrita para descrever como vão os céus, mas como se vai ao céu. Felizmente, Ravasi não é um literalista. Pelo contrário, citou Santo Agostinho como alguém que já havia reconhecido os perigos de usar a Bíblia como texto com valor científico. Se Ravasi fosse literalista, não teria aceitado dialogar com ele.

Aqueles que se dizem crentes constituem em torno de dois terços da população mundial, mais do que 4 bilhões de pessoas. Denegrir sua fé como uma espécie de delírio ou loucura não leva a nada. Ravasi desconsidera os pronunciamentos mais incendiários de alguns ateus radicais sugerindo, como alternativa, uma troca aberta de ideias. Em determinado momento, propôs três modos de olhar para o mundo: para baixo, ao explorarmos a matéria que constitui as coisas; para a frente, na relação com outras pessoas e seres vivos; para cima, na busca por alguma forma de transcendência. Precisamos dos três modos, mesmo que se manifestem de formas diferentes para cada um. Raramente mencionou Deus, defendendo a necessidade de uma busca pluralista pelo conhecimento, que ressoa positivamente com minha proposta de complementaridade do saber.

Ravasi mencionou o biólogo americano Stephen Jay Gould e sua proposta de magistérios que não se superpõem (do inglês, *Non-Overlapping Magisteria*, ou NOMA), que mencionamos aqui no ensaio anterior. Segundo Gould, ciência e religião deveriam existir em paralelo, sem interferência. Ravasi saudou a iniciativa de Gould, que, afinal, põe a religião em pé de igualdade com a ciência. Porém, sugeriu que devemos ir além para criar uma visão mais coesiva. Brincou que, nos tempos de Galileu, seria inconcebível ter um cientista dividindo o palco com um cardeal. Naquela época, os homens da Igreja é que se recusariam a dividir o palco com um mero cientista.

"Os tempos mudaram", disse, "e devemos mudar com eles."

O cardeal pareceu-me completamente sincero e autêntico. Vi com alívio que o Vaticano hoje tem pessoas como ele em postos de comando. Ravasi está disposto a escrever um novo capítulo na longa e tortuosa história do debate entre a ciência e a Igreja, com um final mais feliz do que seus antecessores. Ficou claro para os presentes que o objetivo desses diálogos não é tentar convencer o outro. Esse seria um exercício supérfluo, como já deveríamos ter aprendido. A proposta é estar aberto para ouvir o outro, sem recorrer aos recursos limitados de um tribalismo em que o "outro", aquele com opiniões diversas da sua, é necessariamente um ser inferior que precisa ser eliminado ou convertido. Ficou claro, também, que um diálogo desse tipo seria impossível entre facções radicais. Não poderia conversar sobre ciência e fé com um literalista, ou mesmo com um primo distante meu, que é judeu ortodoxo. Os argumentos de um literalista são absurdos para a maioria dos cientistas, e com razão.

Somos criaturas finitas, num mundo cheio de desafios, com mais perguntas do que respostas. Fatos, valores, crenças e tradições formam uma rica teia em que é fácil se perder. O fundamento de um diálogo construtivo entre a fé e a ciência é reconhecer que, mesmo considerando todas as diferenças, a busca por sentido é de cada um e de todos nós. A perplexidade de estarmos vivos, mesmo se a expressamos de modo diverso, é parte da nossa essência.

# Dos elétrons ao amor: a inatingível unidade do conhecimento

O biólogo americano Edward O. Wilson é um dos raros superstars da ciência. Vencedor de dois prêmios Pulitzer pelos seus elegantes ensaios, professor emérito da Universidade de Harvard, Wilson é considerado o maior especialista do mundo em formigas. Entre muitos resultados, Wilson explorou as leis que regem a inteligência coletiva de insetos como as formigas e as abelhas, e a importância, na evolução das sociedades, de valores como o altruísmo e o sacrifício de alguns para beneficiar a sobrevivência do grupo.

Em 2014, Wilson lançou um novo livro, *O sentido da existência humana*, em que busca forjar um caminho para a unificação das ciências com as áreas humanas. O livro foi finalista do Prêmio Nacional do Livro nos EUA, o equivalente americano ao Prêmio Jabuti. Nele, Wilson dá continuidade à sua obra de 1998, *Consilience: The Unity of Knowledge* (Conciliação: a unidade do conhecimento). Se a iniciativa tiver sucesso, afirma Wilson, atingiremos uma compreensão transformadora do sentido da nossa existência.

Wilson parte da premissa de que por trás da complexidade da Natureza existem leis simples, que remetem a uma explicação unificada da realidade. A ideia essencial aqui é unificação. Bem antiga, remonta a Tales de Mileto (cerca de 600 a.C.), o primeiro dos filósofos ocidentais. O historiador americano Gerald Holton chamou essa idealização da Natureza de "encantamento iônico".

Tales viveu entre 650 e 550 a.C. na região de Iônia, hoje parte da Turquia. Daí o "iônico". Interessado no aspecto material da realidade, sugeriu que tudo fosse água. O sentido de Tales era mais metafísico do que físico, a água representando o potencial transformador da Natureza, que acreditava estar sempre em fluxo. O ponto essencial permanece: oculta nas profundezas do real, existe uma estrutura unificada, a fonte de tudo. Decifrar suas leis equivale a desvendar o mistério da existência, dos elétrons ao amor.

Wilson equaciona o encantamento iônico ao elemento religioso que crê ser a fonte de inspiração na busca científica pelo conhecimento: "Acredito ser essa a fonte do encantamento iônico: satisfazer nosso apetite religioso buscando uma compreensão da realidade objetiva, rejeitando revelações proféticas."

Wilson adota o reducionismo como mestre absoluto do conhecimento. A unidade das ciências começa na física, dado que é ela que determina as leis fundamentais da Natureza. Como somos feitos de partículas de matéria, entender as leis que regem seu comportamento é uma precondição para entendermos o resto. O plano, portanto, é unificar a física, extrapolar para as outras ciências físicas (química, astronomia, geologia...) e, de lá, para a biologia e as ciências neurocognitivas. Com isso, acredita Wilson, teremos uma compreensão clara do caráter fisiológico das emoções humanas: dos elétrons ao amor. Como as disciplinas humanas são produto do cérebro humano, argumenta, serão necessariamente incluídas nessa grande unificação do conhecimento.

Para chegar a tal objetivo, fora a unificação da física, os cientistas terão que convencer os humanistas a abraçar esse movimento, repensando conjuntamente a estrutura de suas disciplinas sob a luz quantitativa da ciência. Boa sorte.

Wilson não despreza as disciplinas humanas. Pelo contrário, acha que devem ser celebradas: "São a história natural da cultura, nossa herança mais preciosa e privada." Considera que as artes, a filosofia, a teologia, a história são, em essência, produtos de quem somos, da nossa história evolucionária: para entendermos história, temos que começar na pré-história. É um erro separar nossa habilidade como entidades criadoras dos processos evolucionários que, ao longo de 2 milhões de anos, moldaram o *Homo sapiens* a partir de uma linhagem de primatas bípedes. Assim, traçamos uma linha que começa no Big Bang e passa pela origem da matéria, da vida, da vida complexa, dos humanos, terminando nas obras criadas pela nossa espécie em todas as áreas do conhecimento. Essa é a conciliação que busca Wilson, uma ponte ligando a história cósmica à história humana.

Wilson resume sua missão: "A conciliação do saber busca salvar o espírito através da liberação da mente humana — não de sua rendição. Seu princípio central, como sabia Einstein, é a unificação do conhecimento. Quando lá chegarmos, compreenderemos quem somos e por que estamos aqui."

Infelizmente, a missão é inatingível tanto em princípio quanto na prática. Em princípio, porque a noção de unificação de toda a física, o ponto de partida de Wilson, não faz sentido epistemologicamente. Na prática, porque jamais poderemos acumular conhecimento suficiente para construirmos uma visão completa e unificada da realidade.

Ao encantamento iônico, temos que contrapor a falácia iônica, termo proposto cinicamente pelo historiador de ideias Isaiah Berlin. Nenhum sistema de conhecimento humano pode ser completo, fechado em si mesmo. Existem sempre perguntas que podem ser formuladas nesse sistema que não podem ser respondidas com o que se conhece. Na matemática, este resultado é resumido nos dois Teoremas da Incompletude, de Kurt Gödel.* Na computação, o problema de parada (do inglês, *halting problem*), de Alan Turing. Um sistema de conhecimento completo é o equivalente intelectual da Torre de Babel bíblica. "Toda filosofia é produto de duas coisas apenas: curiosidade e miopia", escreveu o filósofo francês Bernard de Fontenelle no final do século XVII. A aquisição do conhecimento é, por necessidade, um processo que se ramifica: quanto mais sabemos, mais percebemos o quanto ainda temos por saber. Uma ideia, por mais encantadora que seja, muitas vezes não passa de uma ilusão.

---

* Para mais detalhes, veja meu livro *A ilha do conhecimento*.

Buscamos sempre descrições cada vez mais unificadas dos fenômenos naturais. Mas não temos qualquer indicação de que essa estrada tenha fim. Mesmo na física de partículas elementares, podemos apenas construir descrições unificadas provisórias, que serão suplantadas por novas descobertas. A gravidade de Aristóteles era muito diferente da de Newton; a dele, muito diferente da de Einstein. Hoje, estamos repensando as propriedades da força gravitacional; existem propostas de considerá-la uma força diferente das demais, irreconciliável com o que ocorre no nível subatômico.

Não temos razão para supor que a mente humana possa decifrar a essência da realidade; precisamos aprender a viver com o mistério, com o fato de que não podemos chegar ao fim do conhecimento.

Mesmo que sejamos feitos de átomos, não podemos usar a física atômica para descrever nossa fisiologia ou comportamento. Níveis de organização material diferentes requerem leis diferentes, e essas leis são novas e irredutíveis. Como afirmou o Prêmio Nobel de Física Philip Anderson, da Universidade de Princeton, "mais é diferente". Não existe uma ponte direta que liga os elétrons ao amor.

Usando as formigas de Wilson, o comportamento do grupo segue leis bem diferentes das que regem o metabolismo celular de cada formiga e, mais ainda, das que regem as propriedades dos seus átomos. Não existe uma continuidade entre o que ocorre com os átomos e o altruísmo de algumas formigas. A cada nível crescente de complexidade material, mudam as descrições e a metodologia. Caso contrário, economistas teriam que estudar mecânica quântica para examinar o comportamento do mercado de capitais.

Wilson acredita numa espécie de determinismo cósmico, baseado numa causalidade universal. Se o consciente humano é redutível a simples leis físicas, podemos relacionar nosso comportamento, nossas escolhas subjetivas, a uma teia de causa e efeito que teve início no próprio Big Bang. Nesse caso, a noção de livre-arbítrio seria uma ilusão "biologicamente adaptativa", que nos protege contra o fatalismo: acreditando ter controle sobre nossas vidas, continuamos a nos reproduzir.

Esse tipo de determinismo é inconsistente com a física quântica — em que existe uma incerteza essencial ao nível de cada partícula que pode tomar essa ou aquela propriedade (girar no sentido horário ou anti-horário, por exemplo). Cada opção leva a uma história divergente. Ademais, se tudo é já definido, qual o ponto de Wilson em querer que tomemos o futuro em nossas mãos, que preservemos a Terra e seus habitantes, eliminando a guerra e a intolerância?

Na prática, também, existem limites intransponíveis, dado que a aquisição do conhecimento científico depende da tecnologia usada nos instrumentos de medida. Basta comparar a astronomia antes e depois do telescópio, ou a biologia antes e depois do microscópio, para ver como esses campos do conhecimento avançam continuamente devido ao progresso dos instrumentos de observação. *Ver mais não significa ver tudo.*

Pode haver um caminho para a unificação do conhecimento? Acredito que a proposta não faça sentido. Cientistas e humanistas devem sim colaborar, encurtando as distâncias entre suas metodologias e objetivos. Existem muitas áreas em que as duas vertentes do conhecimento convergem e se beneficiam mutuamente. Por exemplo, na questão do livre-arbítrio ou na natureza da verdade; na questão de como as tecnologias digitais e genéticas vão determinar o futuro da nossa espécie; na questão do aquecimento global e do seu impacto econômico e social. Por outro lado, querer construir um único edifício do conhecimento é querer empobrecê-lo. Existem muitas formas de olhar para o mundo. Melhor do que chegar a um pressuposto fim onde tudo é um, é celebrar a pluralidade do saber, a natureza instável do conhecimento, fonte de nosso desejo de querer sempre buscar. Aceitar a incompletude do saber não é uma atitude derrotista; pelo contrário, é liberadora, pois entende que a busca não tem fim. E o que pode ser mais instigante do que saber que existirá sempre algo novo a ser descoberto?

# Do mito à ciência: será que podemos entender a origem de todas as coisas?

Essa é a "grande questão", que nos acompanha desde o início da história, parte da tradição de praticamente todas as culturas que conhecemos. Do xamã ao cientista contemporâneo, a questão da origem de todas as coisas exerce um fascínio inescapável.

No caso dos mitos de criação, narrativas religiosas da origem do mundo e da vida, na maioria das vezes um poder absoluto além do tempo e do espaço, encarnado em alguma divindade, cria o mundo e suas criaturas em um determinado momento do passado. Os deuses, por definição, não respeitam as leis da Natureza que regem o comportamento da matéria, seja ela inanimada ou viva.

Em meu livro *A dança do Universo*, apresento uma classificação detalhada dos mitos de criação. A maioria deles descrevem a origem do mundo num momento do passado (como na Bíblia). Porém, alguns sugerem um Universo eterno, seja ele sem origem ou criado e destruído ciclicamente.

A mente humana se depara com um obstáculo lógico intransponível quando se pergunta, como o fez Gottfried Leibniz no século XVII, "Por que existe algo em vez de nada?". Para resolver esse dilema, bem antes, na Grécia Antiga, Aristóteles propôs a existência do Movedor Imóvel, uma divindade capaz de pôr o cosmo em movimento sem ter que ser movida, dando uma espécie de pontapé inicial na Criação. Daí por diante, processos de causa e efeito fazem o resto. O problema da origem de todas as coisas, portanto, se reduz à questão da *Primeira Causa*, a causa que deu início a todas as outras. Esse é o desafio da cosmologia moderna, sugerir uma narrativa científica da origem de tudo que evita a questão da Primeira Causa e, claro, uma intervenção divina. Será que uma narrativa científica completa da criação é possível?

Nos últimos cem anos, aprendemos muito sobre o Universo, graças aos esforços de milhares de cientistas. Sabemos que vivemos numa galáxia, a Via Láctea, que se formou em torno de 10 bilhões de anos atrás, num Universo que surgiu 3,8 bilhões de anos antes disso. Sabemos que o Universo vem expandindo desde sua origem, o que significa que galáxias estão se distanciando mutuamente. Portanto, se passamos o filme da história cósmica ao contrário, chegamos ao ponto inicial, a "singularidade", quando a matéria estava comprimida num volume diminuto, atingindo densidades e temperaturas altíssimas.

Pensando no tempo linearmente do Big Bang em diante, os primeiros instantes permanecem obscuros. Porém, a cosmologia moderna pode reconstruir esse passado com segurança a partir de centésimos de segundo após o "bang" — quando os primeiros núcleos atômicos foram formados — até hoje, um feito intelectual extraordinário. Usando o acelerador de partículas no laboratório europeu CERN, em Genebra, na Suíça, podemos recuar ainda mais, até um trilhonésimo de segundo após o bang. Faltam alguns detalhes importantes, claro, mas o quadro geral é entendido. Indo mais para trás no tempo, aqueles primeiros instantes em direção à origem, as coisas complicam. Ao chegarmos na singularidade, presumivelmente o início de tudo, nos deparamos com a Primeira Causa.

Temos vários modelos teóricos que visam explicar o que ocorreu no início. Infelizmente, como não sabemos que tipo de partículas de matéria existiam no início da história cósmica além das que estudamos no CERN, são modelos ainda especulativos. Ao contrário do que escrevem vários cientistas influentes, incluindo o inglês Stephen Hawking, não temos a menor ideia do que ocorreu na singularidade. Mais importante ainda, mesmo que algum modelo científico funcionasse, seria apenas uma descrição parcial: uma história contada pela metade. Afinal, todo modelo científico usa leis e princípios na sua formulação. Esses princípios são o ponto de partida da ciência, sua Primeira Causa. Para ir além, seria necessária uma metaciência capaz de explicar suas próprias origens. Dessa, nada sabemos. É impossível sair da caixa quando a caixa é tudo o que existe.

Resta-nos continuar a expandir o conhecimento, com humildade e perseverança. Como escreveu o dramaturgo inglês Tom Stoppard, "é o querer saber que nos torna relevantes".

# O fim está próximo! (De novo?)

Segundo um grupo de literalistas bíblicos, o mundo deveria ter acabado no dia 23 de setembro de 2017. Essa foi a interpretação deles de um capítulo do Apocalipse de João, o último livro do Novo Testamento, que prevê o fim dos tempos. Segundo João, o fim dos tempos é anunciado por uma série de sinais, muitos deles cósmicos; coisas estranhas que acontecem nos céus, traduzidas como uma mensagem de Deus para os homens: Preparem-se, pois o fim está próximo!

Desta vez, o "sinal" foi um alinhamento planetário nas constelações de Virgem e de Leão que, em 23 de setembro, atingiu uma espécie de auge. Estavam lá Mercúrio, Vênus, Marte, Sol, Lua e Júpiter. No dia 23, Júpiter deixou a constelação de Virgem, seguindo sua trajetória cósmica.

João (Apocalipse 12: 1-5) relata a aparição de um "sinal grandioso no céu", a Visão da Mulher e do Dragão:

Um sinal grandioso apareceu no céu: uma Mulher vestida com o sol, tendo a lua sob os pés e sobre a cabeça uma coroa de doze estrelas; estava grávida e gritava, entre as dores do parto, atormentada para dar à luz. Apareceu então outro sinal no céu: um grande Dragão, cor de fogo, com sete cabeças e dez chifres e sobre as cabeças sete diademas; sua cauda arrastava um terço das estrelas do céu, lançando-as para a terra. O Dragão colocou-se diante da Mulher que estava para dar à luz, a fim de lhe devorar o filho. Ela deu à luz um filho, que irá reger todas as nações com um cetro de ferro [...].

A profecia e sua interpretação é o tema do documentário *O sinal*, do canal a cabo americano da AT&T, a empresa telefônica.* O "filho" sendo parido é associado a Júpiter deixando a constelação da Virgem no dia 23; o alinhamento planetário e as estrelas mais brilhantes são a "coroa de doze estrelas". Já o Dragão de Fogo é associado pelos literalistas à aparição do Planeta X, um planeta que muitos insistem (erroneamente) em afirmar que existe nos confins do sistema solar, a uma distância aproximadamente noventa vezes maior do que a do Sol e da Terra.

Resumindo, os literalistas entrevistados no documentário afirmam com absoluta convicção que o Apocalipse chegaria no dia 23 de setembro de 2017, conforme profetizado por João.

Felizmente, o documentário não fica apenas no catastrofismo, apresentando também a versão científica da história. Nisso, representa o perene debate entre a ciência e a religião; neste caso, a religião mais extrema possível, que toma um livro sagrado como sendo uma narrativa profética da realidade e não um texto simbólico, construído para instruir as pessoas numa ética religiosa — no caso, uma ética cristã extremamente conservadora e retrógrada.

Os cientistas, todos conhecidos e de alto gabarito, fazem o que podem para mostrar o absurdo da coisa. Um deles, em particular, o astrônomo Konstantin Batygin, do Instituto de Tecnologia da Califórnia (Caltech), explica como a existência de um objeto celeste como o Planeta X teria induzido o colapso da órbita da Terra: com tal massa e atração gravitacional, teria causado instabilidades na órbita terrestre e não estaríamos aqui para contar a história. No entanto, a Terra vem girando em torno do

---

* Eis um link para o trailer, em inglês: <https://www.youtube.com/watch?v=Sx7J1ErEqOc>.

Sol há 4,5 bilhões de anos. *O Planeta X não existe*. Se existisse, e estivesse perto, teria sido visto.

O que não significa que não possam existir outros objetos nos confins do sistema solar, como explica Batygin. A palavra-chave aqui é "confins": dado que a força da gravidade cai com o quadrado da distância, objetos muito distantes têm influência desprezível na Terra. É por isso, aliás, que não caímos no centro da galáxia, devorados pelo buraco negro gigantesco que existe lá.

O que mais me espanta nessa discussão e em tantas outras, praticamente idênticas, que ocorreram antes é a convicção absoluta dos literalistas. O que disseram no dia 24, quando nada de catastrófico aconteceu, ao menos ao nível cósmico? Claro, tensões mundiais existem, e tanto Donald Trump quanto a Coreia do Norte ou algum outro líder ou grupo terrorista pode fazer algo terrível. Haverá sempre alguma tensão política ou social no mundo que um oportunista pode interpretar como uma profecia bíblica. E por que não se aprende com a história, após incontáveis profecias não darem em nada?

Outra coisa que me espanta nisso tudo: por que tantas pessoas ainda acreditam nesse tipo de profecia? Essa, para mim, é a pergunta--chave. Em meu livro *O fim da Terra e do Céu: o apocalipse na ciência e na religião*, explorei como muitas ideias apocalípticas de várias culturas fazem menção a eventos celestes, e como essas ideias transitaram da religião para a ciência. Eventos celestes estranhos ocorrem, e vêm sendo observados há milênios. Como, para os crentes, os céus são a morada dos deuses (Deus é o "papai do céu"), atribuir uma aparição celeste estranha a uma mensagem divina é quase natural. Historicamente, eclipses, cometas, chuvas de meteoros e outros eventos astronômicos foram associados a mensagens divinas negativas, indicando uma tragédia iminente. A lógica é simples: se os céus se comportam de forma estranha, é porque os deuses não estão felizes. E se os deuses não estão felizes, nós pagaremos por isso; especialmente — para os cristãos — os pecadores.

O medo de um fim apocalíptico expõe nossa fragilidade perante as forças da Natureza. Sabemos que pouco podemos fazer quando a ordem natural das coisas é rompida. O que podemos é tentar, coletivamente, fazer diferença no que vemos à nossa volta, das injustiças sociais à falta de acesso a uma educação de bom nível. Usar o medo como agente de mudança, como faz a tradição apocalíptica, não funcionou no passado e, certamente, funciona muito menos agora. Somos nós, e não os deuses, os agentes das mudanças que queremos ver no mundo.

# O que a ciência nos ensina sobre a arte de viver

Tentativa e erro, experimentar o novo, entender que algumas questões têm respostas complexas ou podem mesmo não ter uma resposta, cultivar a noção de que o fracasso é essencial para o progresso, aceitar que erros são o que nos fazem eventualmente acertar, saber persistir quando as dificuldades parecem não acabar nunca: essas são algumas componentes da pesquisa científica, uma espécie de sabedoria acumulada através dos tempos que, acredito, é também muito útil em vários aspectos da vida, desde como enfrentar desafios individuais até como reger empresas.

Se contarmos de Galileu em diante, são mais de quatrocentos anos de ciência, de desenvolvimento de uma metodologia que transformou e continua transformando o mundo. Se a ciência teve tanto sucesso, não foi porque o caminho em frente era óbvio; pelo contrário, foi por ele ser imprevisível e cheio de obstáculos.

A Natureza não nos diz o que fazer, como achar padrões de comportamento, como descobrir leis matemáticas que regem os fenômenos naturais. O que conseguimos descobrir até agora é fruto de nossa diligência, perseverança e criatividade. Quem poderia imaginar que a mesma força que é responsável pela queda de uma maçã é, também, responsável pela órbita da Lua em torno da Terra e da Terra em torno do Sol? Quem poderia adivinhar que a eletricidade e o magnetismo são manifestações de um campo eletromagnético que se propaga através do espaço na velocidade da luz? Quem poderia adivinhar que as espécies animais evolvem devido a mutações genéticas aliadas ao processo de seleção natural? Esse conhecimento não veio do nada; exigiu muita coragem intelectual, disciplina de trabalho e tolerância ao erro.

Para fazer ciência de qualidade, é necessário entender a tensão entre a experimentação e a aceitação do erro. Assim funciona o processo de tentativa e erro, quando tentamos estratégias diferentes para chegar ao resultado desejado. Para tal, é preciso tanto criatividade (para propor estratégias diferentes) quanto tolerância (para aceitar o erro e ir em frente).

Se temos pouca experiência escalando montanhas, não devemos nos aventurar a subir um pico difícil. A estratégia adequada é expandir nossa habilidade gradativamente, até obter uma boa base técnica, para só então tentar a escalada mais ambiciosa. Aprendemos com nossos erros, usando o fracasso como guia. Tomamos riscos, sempre com a intenção de nos preservar no processo. Alpinistas não querem cair. Pesquisadores não querem (ou, ao menos, não devem) investir recursos excessivos num projeto que, mesmo após longo tempo, dá poucos frutos. Não queremos que persistência vire cegueira.

Em um determinado momento, temos que ter coragem de deixar uma ideia para trás, ainda que seja difícil fazê-lo. Para que um projeto tenha sucesso, precisamos nos dedicar a ele de corpo e alma. Porém, se após várias tentativas, as coisas não avançam, temos que ir em frente. Dar uma parada para avaliar em que estágio estamos, discutir ideias com colegas, ouvir críticas e aprender com elas são procedimentos essenciais na pesquisa científica, e podem ser muito úteis em outras atividades.

Se as coisas não funcionam, precisamos deixar o orgulho e a vaidade de lado e aceitar que falhamos. Todo cientista sabe muito bem que a maioria das suas ideias não vai funcionar. Resolutos, vamos em frente, estando abertos a críticas e, mais importante ainda, sabendo respeitar evidências contra o que estamos propondo. (Ou celebrar aquelas a favor.) Aprendemos porque sabemos aceitar nossa ignorância.

Meu avô costumava dizer que quem usa um chapéu muito grande não enxerga o que tem pela frente. A arrogância é uma forma de cegueira. Na ciência, e em qualquer outra área de trabalho, é bom lembrar as sábias palavras de Isaac Newton — mesmo que o próprio, ao longo da vida, não tenha sido o que chamaria de um modelo de humildade profissional:

Não sei o que possa parecer aos olhos do mundo, mas aos meus pareço apenas ter sido como um menino brincando à beira-mar, divertindo-me com o fato de encontrar de vez em quando um seixo mais liso ou uma concha mais bonita que o normal, enquanto o grande oceano da verdade permanece completamente por descobrir à minha frente.

# Tensão criadora: uma reflexão para um novo século

Aqui vamos nós, passadas já quase duas décadas do século XXI. Os que nasceram nos anos 1990 já são adultos. Bem-vindos a um mundo confuso. Tensões políticas no Brasil e no mundo; no financiamento da pesquisa científica; nas escolhas que temos que fazer daqui para a frente, baseadas na nossa relação com o planeta... Tensões por toda parte.

Meio desencorajador, não? Melhor do que entregar os pontos de forma derrotista é repensar o valor da tensão. Tensão não é, necessariamente, sempre negativa. Em todo estado de tensão, existe um potencial de transformação. Na física, tensão significa energia armazenada, que chamamos de energia potencial. Por exemplo, quando você comprime uma mola, está armazenando tensão nela, energia potencial elástica. Basta soltar e lá vai ela, voltando ao seu estado natural, sem tensão. Ou quando você segura uma pedra no ar e deixa ela cair; nesse caso, a energia potencial gravitacional depende da altura da pedra: quanto mais alta, mais energia potencial é armazenada. Quando a pedra é liberada e começa a cair, essa tensão armazenada é transformada na energia de movimento da pedra caindo. Quando bate no chão e para, o impacto transfere a energia de movimento ao chão e à pedra em forma de vibração e calor. A energia é eventualmente dissipada no chão, na pedra, no ar, e nada mais ocorre.

(Ao menos aparentemente, no movimento da pedra. Sempre algo ocorre, mesmo que invisível aos olhos.) Toda tensão armazenada tem um potencial transformador. Tanto na física quanto na vida, nas escolhas que fazemos.

O Universo existe sob tensão. Das menores partículas de matéria às órbitas de planetas e galáxias, ao próprio Universo como um todo, vemos uma dança de transformação, tensão em movimento, uma forma de energia virando outra. Sem essa tensão, sem a energia potencial que está armazenada nela, nada acontece. Sem tensão, tudo fica igual, pois não existe mais o potencial transformador. Tudo o que vemos na Natureza, as infinitas transformações que ocorrem todos os dias em todas as escalas — dentro de você, ao seu lado, nos céus, no centro da Terra, numa galáxia distante — são produto dessa grande inquietude cósmica, da tensão criadora que existe em tudo.

O mundo funciona sob tensão; o Universo funciona sob tensão; a sociedade, como não poderia deixar de ser, também funciona sob tensão. A diferença é que, na Natureza, não existem valores morais ligados a uma tensão ou à transformação que resulta dela. Se uma estrela explode e destrói os planetas que giram em volta dela, não podemos julgá-la como sendo uma entidade maléfica. Estrelas explodem naturalmente, como parte de seu ciclo de vida e morte, algo que vai ocorrer com o Sol em aproximadamente 5 bilhões de anos.

O Sol não sabe que estamos aqui na Terra, agora. Somos nós que temos consciência da nossa existência e da nossa fragilidade; somos nós que desenvolvemos a ciência que explica o ciclo de vida e morte das estrelas, e que prevê o futuro do nosso sistema solar. Somos nós que atribuímos um valor moral às consequências de tensões diversas.

Todo ato criativo é resultado de uma tensão. Toda resolução é resultado de uma tensão. Toda escolha é resultado de uma tensão. Ao passarmos da dimensão cósmica à dimensão humana, os produtos das várias tensões ganham uma dimensão moral que não existe na dinâmica do mundo natural. Isso nos une à Natureza, ao mesmo tempo que nos separa dela. Nos une por sermos parte desses ciclos naturais de transformação, por sermos parte da incessante dança de energia que existe em tudo. Nos separa por termos a capacidade de refletir sobre quem somos e sobre as escolhas que fazemos.

O paradoxo do homem é ser um animal moral.

Entramos no novo século desnorteados com o que passou, tentando resgatar o impulso criativo que leva a transformações positivas em nossas vidas e na sociedade como um todo. Nessas horas de reflexão sobre o novo, é bom começar celebrando o que temos: gratidão é uma palavra que deveríamos usar mais do que usamos, é um sentimento que deveríamos cultivar mais do que cultivamos.

Chegamos a um momento da nossa história coletiva em que podemos, como espécie, afetar deliberadamente o planeta e seu futuro. Isso nunca ocorreu antes na história da vida na Terra. Espécies que transformaram o planeta, como as cianobactérias que, através da fotossíntese, encheram a atmosfera de oxigênio 2 bilhões de anos atrás, não o fizeram conscientemente. Bactérias não fazem planos. Por outro lado, nós temos consciência do que está ocorrendo, e temos a possibilidade de escolher como agir. A tensão da escolha está aqui, na nossa frente. O futuro da sociedade, também. Espero que a nova geração de adultos, os últimos do milênio passado, contribua de forma positiva para o nosso futuro coletivo. Afinal, o mundo é deles. Não será muito difícil fazer um trabalho melhor do que o da geração que os antecedeu. Arregaçar as mangas ou não é escolha de cada um.

# Quando o inexplicável
# acontece contigo

Imagino que muitos leitores tenham tido uma ou mais daquelas experiências misteriosas, coisas que ocorrem nas nossas vidas que parecem desafiar qualquer explicação racional. Vemos algo estranho, ou testemunhamos eventos que parecem violar as leis da Natureza, às vezes até evocando o sobrenatural; ou experimentamos emoções extremas, uma conexão com algo maior do que nós, inescrutável, uma transcendência momentânea onde vislumbramos algo além de nossa existência, algo que merece ser atribuído ao divino. O que são esses eventos e experiências? O que estão tentando nos dizer?

Um racionalista tende a reagir a esse tipo de situação com certo desdém, desmentindo-a imediatamente como uma coincidência sem qualquer significado mais profundo. Em geral, o cético cita a lei dos grandes números: quando bilhões de pessoas passam por dezenas de bilhões de experiências diariamente, é razoável a probabilidade de que alguns sejam expostos a situações tão raras e bizarras que, ao menos na superfície, possam parecer inexplicáveis.

A professora de antropologia da Universidade de Stanford, na Califórnia, Tanya Luhrmann, que também contribui regularmente para o *New York Times*, é o que podemos chamar de uma especialista na "experiência do sagrado", o que o grande psicólogo e filósofo americano William James considera a essência da religiosidade humana. Luhrmann é autora de diversos livros sobre o assunto, com títulos como *Quando Deus responde* ou *Alucinações e sobrecarga sensorial*.

Em um de seus textos para o *New York Times*, Luhrmann reconta um episódio que ocorreu quando era ainda estudante de pós-graduação na Inglaterra, uma dessas experiências que ameaçaria sua construção racional da realidade, que sempre supôs seguir leis físicas de causa e efeito bem definidas.

Numa viagem de trem em direção ao norte da Inglaterra para entrevistar um grupo de pessoas que praticava uma forma de mágica que, segundo eles, era bem poderosa, Luhrmann começou a se sentir estranha:

> Estava lendo um livro escrito por um homem que os membros do grupo consideram um "adepto", alguém com conhecimento e domínio profundo dos ritos mágicos. Quando tentava entender como essa pessoa se imagina sendo veículo desses poderes especiais, comecei a sentir algo estranho pulsando nas minhas veias, uma espécie de energia que emanava do meu corpo. Senti isso de verdade, visceralmente, e não apenas na minha imaginação. Comecei a sentir calor. Estava completamente desperta, mais alerta do que sou em geral. Tive a sensação de estar intensamente viva. Essa sensação de energia ocupou meu corpo, viajando através dele como água fluindo num rio. Tive vontade de cantar. De repente, vi fumaça saindo da minha mochila, onde havia guardado o farol da minha bicicleta. Quando fui examiná-lo, percebi que uma das lâmpadas havia derretido, mesmo estando apagada.

Segundo o relato de Luhrmann, "apesar de a experiência não ter mudado minha concepção da realidade, saí do trem com respeito renovado pelas pessoas que acreditam nesse tipo de mágica. Com frequência, pessoas têm experiências incríveis, que anotam numa lista de eventos que não podem explicar, e logo são esquecidos num canto da memória". No mesmo artigo, Luhrmann menciona

Michael Shermer, autor de vários livros e editor da *Skeptic Magazine* (Revista dos Céticos), racionalista de renome, que também teve suas crenças abaladas por um desses episódios. Michael é um conhecido meu, e posso atestar que defende sua racionalidade com unhas e dentes. Eis sua história, que relata em sua coluna na *Scientific American*.

Algumas semanas antes de casar com uma moça alemã, Michael recebeu vários pertences da noiva despachados pelo correio em caixas. Entre eles, um rádio bem velho, quebrado, que havia pertencido ao avô dela, falecido há muitos anos. Esse avô foi muito importante para ela, a figura paterna de maior influência na sua vida. Apesar de muitas tentativas, Shermer não conseguiu consertar o rádio. O casal acabou deixando o rádio de lado, esquecido numa gaveta no quarto. No dia do casamento, que ocorreu na casa de Shermer, uma música começou a tocar no segundo andar. Após investigar várias fontes possíveis, laptops, iPhones etc., Shermer e a noiva descobriram boquiabertos que a música vinha do rádio, como se tivesse retornado ao mundo dos vivos. "Me avô está aqui com a gente", disse a moça, aos prantos. "Não estou sozinha!" Michael e sua esposa deixaram o rádio tocar a noite inteira. No dia seguinte, tão misteriosamente como havia começado, o rádio parou de funcionar.

Eu também tive uma experiência dessas (mais de uma, na verdade), que conto em detalhes em meu livro *A simples beleza do inesperado*, no capítulo "A Bruxa de Copacabana". Eis um resumo.

Quando eu tinha 17 anos, crescendo no Rio de Janeiro, meus pais adoravam receber amigos para jantar. Meu pai era dentista e tinha acabado de acolher no consultório um grupo grande de imigrantes portugueses, a maioria deles bem rica (e de direita), que haviam fugido da Revolução dos Cravos em 1974. Numa dessas ocasiões, o convidado de honra foi o senhor João Rosas, ex-ministro da Justiça, entre outros amigos. Meu pai, um anfitrião impecável, ofereceu uísque ao ex-ministro. Após tomar um gole, o digno senhor olhou para meu pai com uma expressão perplexa. "Ó Izaac, isto aqui não é uísque; é chá!" Meu pai pegou o copo do senhor Rosas, boquiaberto. "Volto num instante", disse. Foi correndo até o armário onde guardava as bebidas e confirmou, para sua surpresa, que todas as garrafas abertas com bebida cor de âmbar continham chá e não uísque, conhaque, rum etc. Furioso, foi até a cozinha atrás de Maria, nossa cozinheira, uma senhora negra de 50 e tantos anos, de porte inabalável. Lá estava ela, olhos tão escuros que era fácil se perder dentro deles, debruçando-se sobre uma panela de feijão com seu turbante branco. A gente sabia que Maria era mãe de santo, e das boas, daquelas que "recebem" espíritos durante rituais nos terreiros de macumba. Maria fez pouco caso das acusações do meu pai, confessando no ato. "Pois bem, dona Maria, amanhã de manhã, a senhora pode arrumar as malas e ir embora!", rugiu meu pai, eu do seu lado. "Eu vou, senhor, mas algo muito ruim vai acontecer nesta casa!" Uma maldição! Meu pai deu um passo para trás e pôs a mão no bolso esquerdo, onde levava sempre um dente de alho, só por via das dúvidas. Olhei para Maria, horrorizado. "Você, meu filho, não se preocupe não. Você tem corpo fechado e nada te fará mal."

Meu pai, um homem supersticioso, tomou suas precauções. Dobrou o número de dentes de alho que carregava no bolso e encheu a casa com pés de arruda, que ele julgava ser uma espécie de barômetro clorofílico do mal. Um mês passou e nada de estranho ocorreu. Contratamos outra cozinheira e a família retomou a rotina. Até que, um dia, quando estudava matemática para o vestibular, senti um calafrio e uma compulsão de ir até a sala de jantar. Lá, tínhamos uma longa mesa de jantar, flanqueada num dos extremos por um armário onde meus pais guardavam seus cálices de cristal da Boêmia, antiguidades belíssimas que haviam ganhado de meus avôs. Eram três prateleiras de cristal, cada uma contendo em torno de dez ou doze desses cálices preciosos. Na outra extremidade da mesa, tínhamos um daqueles carrinhos de bebidas de bronze, com garrafas de cristal sobre uma prateleira de vidro, cada uma com uma coleira de prata revelando o conteúdo: licores coloridos, vinho do Porto, Cointreau etc.

Estava em pé ao lado da mesa de jantar meio distraído quando algo me fez olhar para o armário de bebidas. De repente, a prateleira superior rachou ao meio, e os copos despencaram sobre a prateleira abaixo, que, por sua vez, caiu sobre a prateleira inferior, causando uma avalanche ensurdecedora de cristal se estilhaçando em mil pedaços. Em segundos, dezenas de cálices belíssimos foram destruídos. Mal pisquei os olhos, quando ouvi outro barulho de vidro quebrando. Olhei na direção oposta da mesa e a prateleira do carrinho também quebrou, levando com ela todas as garrafas de cristal. Parecia uma bomba explodindo. Fiquei olhando a cena, paralisado, não sei por quanto tempo. A cozinheira nova veio correndo, se benzeu e voltou correndo para a cozinha. Foi embora naquela noite, dizendo que a casa era mal-assombrada.

Tremendo dos pés à cabeça, liguei para o consultório do meu pai. "É a maldição, pai. Ela quebrou tudo, bem na minha frente. O armário, o carrinho, tudo despencou quase ao mesmo tempo!"

Durante muito tempo, tentei explicar o que ocorreu. Um avião supersônico passou perto; um terremoto; alguma vibração na frequência ressonante do cristal; talvez estivesse em algum tipo de transe hipnótico e quebrei tudo. Mas nada fazia sentido. Um evento, tudo bem. Mas os dois, quase em sincronia perfeita? E envolvendo bebidas alcoólicas, como deveria ser? Esta é uma ocorrência na minha vida que permanecerá inexplicável.

As pessoas reagem de modo diverso quando passam por situações estranhas como essa. Alguns estão convictos de que é evidência da ação de entidades sobrenaturais, e adotam alguma religião (o evento pode até provocar uma conversão religiosa) ou prática mística. Outros, talvez temendo o que esse tipo de ocorrência representa dentro de sua visão de mundo, decidem que é apenas uma coincidência rara, de baixa probabilidade, sem grandes mistérios. Afirmam, sem muita convicção, que esse tipo de história, por mais bizarra que seja, é algo que ocorre de vez em quando na vida das pessoas, sem a necessidade de ser atribuída a alguma dimensão intangível da existência.

No meu caso, permaneço agnóstico. Sendo um cientista, sei bem que a Natureza tende a seguir regras precisas. Conhecemos algumas delas, que usamos para descrever um enorme número de fenômenos naturais, dos átomos às galáxias. Entretanto, sei também que estamos cercados pelo desconhecido, por mistérios que permanecem inescrutáveis. O projeto científico é uma tentativa de elucidar alguns desses mistérios, algo que a ciência faz com enorme sucesso. Porém, existirá sempre algo que nos escapa. Muitos veem isso como uma derrota da razão. Grande equívoco. Um pouco de inexplicável na vida é inevitável. E muito bem-vindo. Ao examinarmos os muitos níveis da realidade, é preciso manter a mente aberta, deixando sempre espaço para nos surpreender com o inesperado. Aprendemos mais a cada dia, mas aprendemos também a ter humildade perante o tanto que não sabemos ou podemos saber.

Precisamos aprender a celebrar o mistério. Nem tudo precisa ser explicado, nem toda pergunta precisa ter resposta. Se tudo fizesse sentido, a vida seria muito sem graça. Um pouco de inexplicável faz bem, nos deixa um pouco inseguros, nos convidando a imaginar o que pode existir além do possível.

# A pergunta inevitável

Recentemente, dei uma palestra num evento empresarial para duzentos executivos da área de seguros. Mesmo que tenha ocorrido fora do Brasil, minha experiência é que as coisas não teriam sido muito diferentes em qualquer cidade brasileira. Meu objetivo era inspirar o grupo a embarcar numa reflexão bem macro, provocando-os gentilmente com perguntas de caráter existencial que, na correria do dia a dia, tendemos, convenientemente, a deixar de lado.

Os organizadores pediram que falasse sobre nosso lugar no Universo, sobre o que as descobertas da ciência moderna têm a nos dizer sobre nossas origens cósmicas e nossa busca por sentido, sobre nossa função como espécie pensante, e sobre nosso futuro na Terra.

Comecei explicando que somos criaturas flanqueadas por dois momentos essenciais no tempo, e que a história de nossas vidas se dá entre eles, o nascimento e a morte. Da mesma forma, as estrelas no Universo também têm suas histórias, com um começo e um fim. Considero a consciência que temos da passagem do tempo nossa característica mais marcante: sabermos que existimos e que nossa existência inevitavelmente chega ao fim. (Quando disse isso, percebi que alguns dos executivos sorriram, provavelmente os que trabalham com seguro de vida.)

Argumentei que muito da criatividade humana, os poemas e sinfonias, a literatura, as ciências e as ideias filosóficas, a soma de nossas obras culturais, pode ser visto como uma resposta ao fato de sermos criaturas cientes do nosso destino, tentativas, de alguma forma, de colorir a existência com o que temos de melhor, fazendo cada dia valer a pena. O amor, o sexo, o poder, as relações são as placas ao longo do caminho que, durante nossas vidas, nos levam nessa ou naquela direção. Afinal, somos produtos de nossas escolhas, boas ou más.

Continuei discutindo a questão das origens: do Universo, das estrelas, da vida, explicando que praticamente todas as culturas que existiram e existem, dos egípcios aos maias, dos ianomâmis à ciência moderna, ofereceram uma narrativa da Criação, uma tentativa de entender de onde veio tudo o que existe no mundo, inclusive o próprio. Olhar para as estrelas numa noite sem lua, longe das luzes da cidade, ver tantas delas, nos faz querer saber se existem outras criaturas vivendo nos planetas e luas que giram ao seu redor, ao mesmo tempo semelhantes e diferentes de nós. Será que estão, também, olhando para as estrelas, se questionando se estão sozinhas no cosmo? E que tipo de inteligência teriam? Individual? Coletiva? Máquinas que ultrapassaram a fase da carne e osso? Ou serão elas algo completamente insuspeitado por nossas mentes?

Quando pensamos que, apenas na nossa galáxia, existem em torno de 200 bilhões de estrelas, o Sol sendo apenas uma delas, fica difícil não imaginar essas coisas, especialmente agora, que sabemos que a maioria das estrelas tem planetas girando à sua volta, e que muitos destes têm luas. São, portanto, trilhões de mundos lá fora, cada qual único, com sua história e possibilidades.

Mostrei imagens belíssimas, tiradas pelo Telescópio Espacial Hubble e por outros, de robôs motorizados rondando pela superfície de Marte, fotos de outros mundos, revelando seus segredos, máquinas controladas por cientistas e engenheiros aqui na Terra, uma mágica que só não é mágica porque é real. Sugeri à minha audiência que essas máquinas maravilhosas, que tanto nos revelam sobre o Universo e, por consequência, sobre nós, deveriam ser celebradas como grandes feitos da humanidade, ao lado das pirâmides, das catedrais medievais, da arquitetura de Brasília ou Barcelona, da Mona Lisa, das sinfonias de Mahler e das canções dos Beatles e do Tom Jobim.

Expliquei que, ao contrário do que muitos pensam, e como argumento em meus livros *A ilha do conhecimento* e *A simples beleza do inesperado*, quanto mais aprendemos sobre o Universo, mais relevantes ficamos, máquinas moleculares que somos, capazes de imaginar e de descobrir aspectos da realidade muito além da nossa percepção. Tentei, com palavras e imagens, celebrar a criatividade humana e a beleza austera do Universo, capazes de criar e destruir com inacreditável beleza e fúria. Argumentei que o trágico e o sublime são, como as duas faces de Jano, aspectos inseparáveis da existência, partes do mesmo todo. Argumentei, ainda, que somos relevantes por sermos únicos, que somos criaturas especiais justamente por não termos sido criadas como parte de algum plano maior.

Terminei explicando que é justamente por sermos únicos no Universo, por nosso planeta ser único na galáxia, que devemos nos unir como espécie e lutar pela nossa sobrevivência e a do nosso planeta, indo, finalmente, além das divisões tribais que dominaram e que dominam até hoje nossa história coletiva, e que tanto destroem. Ao fim disso tudo, tão inexorável quanto a passagem do tempo, me fizeram a pergunta inevitável: "Mas, afinal, o senhor acredita ou não em Deus?"

# Afinal, somos livres?

No dia da Abolição da Escravatura, me parece adequada uma reflexão sobre o livre-arbítrio, que pode ser definido como a possibilidade de uma pessoa agir sem ser completamente controlada por necessidades diversas ou pelas mãos invisíveis do destino. Ser livre, essencialmente, é poder escolher ao que se prender.

Todo mundo quer ser livre; ou, pelo menos, ser capaz de escolher na vida. Temos nossas profissões, nossa família, nossos compromissos sociais. Por outro lado, a maioria das pessoas acredita ter liberdade de escolher o que fazer, das atividades mais simples às mais complexas: devo pôr adoçante no meu café? Devo colocar o dinheiro na poupança ou gastar tudo? Em quem voto nas próximas eleições? Devo casar com a Carmen ou virar monge no Tibete?

A questão do livre-arbítrio é uma questão de agenciação, de determinar quem toma as decisões que definem o curso das nossas vidas. Tradicionalmente, é discutida por filósofos e teólogos. Ocasionalmente, por físicos interessados na questão do determinismo. Mas, hoje, o contexto da conversa está mudando. Agora, faz parte, também, da neurociência, em pesquisas que têm investigado se temos mesmo liberdade de escolha.

MARCELO GLEISER

Muitos consideram o livre-arbítrio uma mera ilusão. O militante ateísta Sam Harris, por exemplo, escreveu um pequeno livro sobre o assunto em 2013, *Free Will* (Livre-arbítrio). No meu livro *A ilha do conhecimento*, abordo também a questão, chegando a conclusões opostas às de Harris.

A inclusão da neurociência na discussão vem de uma série de experimentos que revelaram algo surpreendente: nossos cérebros parecem decidir o que vamos fazer *antes* de termos consciência disso. Experimentos pioneiros de Benjamin Libet nos anos 1980, e outros recentes usando ressonância magnética funcional e implantes em neurônios que permitem monitorar a atividade cerebral, indicam que a região motora do cérebro responsável por coordenar movimentos (respondendo a uma pergunta do tipo "aperte o botão vermelho quando vir uma bola na tela") decide o que fazer antes de a pessoa estar consciente disso. A diferença de tempo entre a ação neuronal e a conscientização dessa ação pode ser de segundos.*

Os experimentos indicam que o cérebro parece decidir antes de a mente se dar conta.

Extrapolando, se isso for verdade, as escolhas que achamos que estamos fazendo, expressão da nossa liberdade, estão sendo feitas subconscientemente, sem nosso controle explícito. Será que vivemos mesmo nesse estado ilusório, marionetes sob o controle de forças desconhecidas, internas ao cérebro?

Felizmente, a situação não é tão simples. Para começar, definir livre--arbítrio é complicado. Uma definição operacional é que livre-arbítrio é poder escolher mesmo quando estamos sujeitos a uma dose razoável de coerção. Obviamente, nossas vidas dependem de detalhes da nossa história pessoal além do nosso controle, como a nossa genética, o contexto familiar e social da nossa infância e adolescência, e as experiências

---

* Brandon Keim. Brain scanners can see your decisions before you make them. *Wired*, 13 abr. 2008. Disponível em: <http://www.wired.com/science/discoveries/news/2008/04/mind_decision>.

"acidentais" que temos ao longo dos anos. Não somos uma tábula rasa, independente da nossa formação. Será, então, que a nossa genética e o conjunto das nossas experiências pessoais são responsáveis pelas nossas escolhas, como uma espécie de piloto automático, e temos apenas a ilusão de estarmos escolhendo? "Quem", portanto, é que escolhe nas nossas cabeças?

Imagine a seguinte situação: no futuro, cientistas serão capazes de mapear e decodificar nossos estados mentais com grande precisão. Poderão, com modelos personalizados de nossos cérebros, prever como vamos escolher antes de termos consciência da nossa escolha. Se essa situação fosse, de fato, possível — e vejo uma série de obstáculos conceituais e práticos na sua realização —, o livre-arbítrio não existiria. A mente, modelada como uma máquina, seguiria seus processos de forma determinística, sem surpresas. Como um programa de computador. O que chamamos de livre-arbítrio seria equivalente ao intervalo de tempo entre o cérebro fazer a escolha subconscientemente e o momento em que *achamos* que estamos escolhendo. Seria a nossa ignorância de que esse intervalo de tempo existe.

Felizmente, esse tipo de abstração é apenas uma fantasia; máquinas não podem medir nossos estados mentais seguindo a cada instante a ação de 85 bilhões de neurônios e seus trilhões de conexões mútuas. Não somos capazes ainda de definir o que é um "estado mental" em nível neuronal, muito menos de medir um. Talvez esse tipo de medida seja impossível.

Em ciência, existe um risco grande de trivializar uma questão complexa de forma a transformá-la em algo mais maleável, que pode ser analisado quantitativamente. Em muitos casos, essa técnica reducionista é muito útil. Em outros, pode criar a ilusão de que sabemos mais do que de fato sabemos sobre um determinado assunto. Isso certamente ocorre na extrapolação exagerada da aplicação da neurociência ao livre-arbítrio.

Os experimentos que têm sido feitos são limitados a decisões simples, muito distintas das escolhas complexas que fazemos nas nossas vidas, que envolvem conflito, dúvida, reflexões sob várias perspectivas, conversas com outras pessoas. Isso tudo leva tempo, até que, após muita ponderação, chegamos a uma conclusão do passo a tomar. Existe uma enorme diferença entre apertar um botão num laboratório e escolher um companheiro para dividir a vida, uma profissão, ou se vamos cometer um crime. Existe um amplo espectro de complexidade referente às decisões que tomamos, das mais simples às mais convolutas, e esse espectro é refletido na questão do livre-arbítrio. Algumas delas, as mais simples, ocorrem no nível subconsciente, e escolhas são feitas antes de nos darmos conta. Já outras, não. A questão do livre-arbítrio, dado que representa, da forma mais direta que conhecemos, toda a complexidade da nossa existência enquanto seres pensantes, cheios de paixões e dúvidas sobre como viver nossas vidas, não pode ser trivializada a uma mera polarização entre "existe e não existe".

# Seu destino é controlado pelo Universo?

No ensaio anterior, escrevi sobre o livre-arbítrio, se somos nós (ou não) que controlamos nossas decisões. Meu interesse nesta questão veio de um convite para participar de uma mesa-redonda, onde discutiria o assunto com colegas da neurociência e da filosofia. Um dos livros que li antes do evento, e que mencionei no texto anterior, foi o de autoria de Sam Harris, em que argumenta, como fazem muitos, que o livre-arbítrio não passa de uma ilusão: processos subconscientes ocorrendo no cérebro sem o nosso controle parecem tomar decisões *antes* que tenhamos consciência delas. É como se um piloto automático, localizado nas interações elusivas entre neurônios, estivesse no controle de nossas vidas.

Ainda mais chocante, vários experimentos parecem concordar com essa conclusão.* Na minha apresentação, argumentei que a questão do livre-arbítrio é multidimensional e não bipolar, e que, portanto, não pode ser reduzida a um simples sim (o livre-arbítrio existe) ou não (todas as nossas decisões ocorrem no subconsciente). As decisões que tomamos no decorrer das nossas vidas — a cor da blusa que vamos vestir numa festa, para onde vamos nas férias ou se devemos ou não divorciar, por exemplo

---

* Idem.

66  MARCELO GLEISER

— incluem um espectro muito amplo, que vai do trivial (café com açúcar ou sem?) ao complexo (que profissão devo seguir?).

As escolhas mais difíceis são profundamente diferentes daquelas testadas no laboratório. Mesmo que seja óbvio que as decisões que tomamos nunca sejam de fato "livres" — visto que dependem do nosso passado, de onde crescemos, da nossa dinâmica familiar, dos detalhes sociais, genéticos e culturais das nossas vidas —, as decisões que envolvem muitas etapas, que necessitam de tempo e ponderação cuidadosa, parecem ser consequência de processos mentais em que temos plena consciência do que está ocorrendo. Caso contrário, acabamos tomando as famosas decisões impulsivas, que, em geral, não dão muito certo.

O que não incluí no ensaio anterior foi a questão do determinismo, essencial em qualquer discussão sobre o livre-arbítrio. É disso que vamos falar agora.

Em física, um sistema é determinístico se o comportamento futuro (e passado) é determinado pelo estado presente. Na prática, esses sistemas físicos são descritos por equações que nos permitem determinar a evolução no tempo: onde o objeto vai estar em certo momento do futuro. Tudo depende, claro, de podermos ou não resolver as equações que descrevem o sistema, algo bem mais fácil em teoria do que na prática.

Por exemplo, se deixarmos uma bola de gude cair de uma certa altura, podemos usar a equação da queda livre de Galileu para calcular quanto tempo demorará até bater no chão. Mas, se trocarmos a bola por uma pena, a situação fica bem mais complicada, devido ao maior impacto da resistência do ar no movimento da pena do que no da bola de gude. Apesar de ser determinístico, o movimento da pena é tão complexo que não podemos prevê-lo em detalhe.

É comum associar a imagem de um mecanismo de relógio ao determinismo. O sucesso da mecânica de Newton, elaborada por vários outros filósofos naturais, como Jean-Baptiste d'Alembert, Joseph-Louis Lagrange e William Hamilton, inspirou a busca por uma racionalização total da Natureza, cerne do Iluminismo. Tanto assim que, no início do século XIX, o francês Pierre Laplace escreveu uma obra monumental, *Mecânica celeste*, na qual descrevia em detalhes os movimentos de todos os planetas do sistema solar. Baseado em suas equações e no sucesso do reducionismo de Newton, Laplace sugeriu que, se uma *supermente* conhecesse as posições e as velocidades de todas as partículas que compõem o mundo material, das estrelas ao cérebro de cada ser humano, seria capaz de prever o futuro precisamente: não só onde Marte ou Júpiter estarão às 13h21 do dia 13 de maio de 2144, mas quando você nasceria, sua profissão, quantos filhos teria etc.

Se o Universo fosse assim, tudo seria determinado pelas leis da mecânica: o livre-arbítrio não existiria. Seríamos meros autômatos, seguindo uma coreografia predeterminada. Dentro desse cenário, é fácil entender por que os românticos se rebelaram contra esse tipo de ultrarracionalização da existência humana!

Felizmente, esse tipo de determinismo é impossível, ao menos dentro do que entendemos hoje. Não podemos saber, em um mesmo instante de tempo, as posições e as velocidades de todas as partículas que existem; primeiro, porque essa medida teria que ser instantânea; e como fazer isso, quando estrelas estão separadas por bilhões de anos-luz de distância? (A alternativa seria supor que apenas Deus seria capaz disso, algo que foge ao discurso científico.) E que partículas seriam essas, exatamente? Como reconstruir a realidade física hierarquicamente do mais simples ao mais complexo, dos quarks e elétrons às pessoas, planetas e galáxias? E as partículas que ainda não conhecemos? E as que nunca iremos conhecer?

Ademais, qualquer medida tem uma precisão limitada, e nossa descrição do comportamento de sistemas com interações complexas (dos movimentos do sistema solar às reações bioquímicas numa célula) depende delicadamente dessas medidas. Como nenhuma medida tem precisão absoluta, podemos apenas prever o comportamento de sistemas complexos para intervalos de tempo bem curtos e, mesmo assim, com incertezas. Para selar o caixão do determinismo, adicionamos a isso tudo a física quântica, que impõe um limite absoluto à precisão com que podemos medir simultaneamente a velocidade e a posição de uma partícula (o famoso Princípio da Incerteza de Heisenberg).

A alternativa, para aqueles que insistem numa realidade determinística, é supor que somos cegos ao determinismo que rege o Universo: o mecanismo de relógio existe, mas muito além do alcance de nossos instrumentos e ideias. Vemos apenas uma pequena parte da realidade, e não existe uma cura para essa nossa miopia. Segundo essa posição, a essência da realidade é um mistério inacessível à razão humana. Me parece que abraçar esse tipo de determinismo é simplesmente abraçar uma versão metafísica de Deus: onisciente e inescrutável, cuja existência é impossível de ser confirmada. O interessante é que, nesse caso, nossa miopia é nossa bênção: é ela que nos permite a ilusão do livre-arbítrio. Com isso, mesmo se o Universo for, na sua essência mais profunda, determinístico, continuamos livres para fazer nossas escolhas. Por outro lado, me parece bem mais razoável aceitar a limitação do nosso conhecimento e abraçar o mistério da essência da realidade sem fazer suposições fúteis, que jamais podem ser comprovadas como sendo verdadeiras ou falsas.

# Flertando com o desconhecido

Muita gente acha que a ciência é uma atividade sem emoções, destituída de drama, fria e racional. Na verdade, é justamente o oposto. A premissa da ciência é a nossa ignorância, nossa vulnerabilidade em relação ao desconhecido, ao que não sabemos. A ciência é um flerte com o não saber, com o desconhecido que nos cerca. Na pesquisa, existe sempre uma sensação de insegurança, de não termos certeza se estamos indo na direção certa. Muitas vezes, quando experimentos revelam novos aspectos da Natureza que não haviam sequer sido conjecturados, a enorme surpresa, a sensação de tatearmos no escuro, pode levar ao desespero. E agora? Se nossas teorias não podem explicar o que estamos observando, como ir adiante? Nenhum exemplo na história da ciência ilustra melhor esse drama do que o nascimento da física quântica, que descreve o comportamento dos átomos e das partículas subatômicas, e que está por trás de toda a revolução digital que rege a sociedade moderna.

Ao final do século XIX, a física estava com muito prestígio. A mecânica de Newton, a teoria eletromagnética de Faraday e Maxwell, a compreensão dos fenômenos térmicos, tudo levava a crer que a ciência estava perto de chegar ao seu objetivo final, a compreensão de toda a Natureza. Ao menos assim pensavam vários físicos eminentes. Grande engano. Para surpresa de muitos, experimentos revelaram fenômenos que não podiam ser explicados pelas teorias da chamada era clássica. Não se entendia por que corpos aquecidos acima de certas temperaturas brilhavam com aquela luz avermelhada que vemos nas brasas de uma fogueira. Não se entendia por que a luz violeta podia tornar uma placa metálica eletricamente carregada, enquanto a luz amarela nada fazia, deixando a placa eletricamente neutra. Não se sabia se átomos eram ou não entidades reais, já que a física clássica previa que seriam instáveis, com os elétrons espiralando em direção ao núcleo atômico. Gradualmente, ficou claro que uma nova física era necessária para lidar com o mundo do muito pequeno. Mas que física seria essa? Ninguém queria mudanças muito radicais. Ou quase ninguém.

A primeira ideia da nova era veio de Max Planck. Em 1900, ele propôs que átomos recebem e emitem energia em pequenos pacotes, que chamou de "quanta". Antes disso, todos achavam que qualquer sistema emitia e recebia energia continuamente, feito quando aquecemos um bule de água. Eis como Planck relatou seu estado emocional ao propor a ideia do quantum: "Resumidamente, posso descrever minha atitude como um ato de desespero, já que por natureza sou uma pessoa pacífica e contrária a aventuras irresponsáveis [...] quaisquer que fossem as circunstâncias, qualquer que fosse o preço a ser pago, eu tinha que obter um resultado positivo." O uso da palavra "desespero" é revelador. Planck viu-se *forçado* a propor algo fundamentalmente novo, que ia contra tudo o que havia aprendido até então e que acreditava ser correto sobre a Natureza. Abandonar o velho e propor o novo requer muita coragem intelectual. E muita humildade, algo que faltava aos que achavam que a física estava quase completa. Planck sabia que a física tem como missão explicar o mundo natural, mesmo que a explicação contrarie nossas ideias preconcebidas. Os experimentos não deixavam dúvida de que algo radicalmente novo era necessário. Planck, modelo de integridade intelectual de um cientista, sabia que seu compromisso com a Natureza era o único que importava.

Nunca devemos arrogar que nossas ideias tenham precedência sobre o que a Natureza nos diz. A ciência é um jogo de pega-pega, e a Natureza está sempre na frente.

Como Planck, existem muitos cientistas que, deparando-se com resultados misteriosos e surpreendentes, lutam para propor e aceitar ideias que vão contra o que acreditam ser correto. Isto pode ser doloroso, mas é essencial. Caso contrário, a insistência numa ideia se transforma em cegueira. Talvez essa seja a lição mais importante da ciência: que a Natureza nem sempre corresponde aos nossos anseios, e que precisamos encará-la com a humildade de quem sabe muito pouco.

# Tributo ao fracasso

Numa sociedade onde o sucesso é o objetivo de praticamente todos, onde celebridades, superatletas e os muito ricos são idolatrados, o fracasso pode parecer algo vergonhoso, que devemos evitar a todo custo e que, quando não podemos, devemos ao menos fingir que não aconteceu. O fracasso é aquela poeira que varremos para baixo do tapete, achando que, assim, a casa fica mais limpa.

Essa atitude em relação ao fracasso precisa mudar. Alguns anos atrás, li um breve ensaio sobre o assunto de autoria de Costica Bradatan, professor associado de religião comparada da Universidade Texas Tech e editor da *Los Angeles Review of Books*.* Inspirado pelas palavras de Bradatan, resolvi escrever meu próprio tributo ao fracasso, que divido aqui com vocês.

Só falhamos quando tentamos fazer algo. Só isso já deveria estabelecer o valor do fracasso, pois é relacionado com o esforço que dedicamos a um projeto. Evitar fazer algo para evitar o fracasso é muito pior, pois representa estagnação, o medo paralisador de falhar. Nas ciências e nas artes, só não falha quem não está engajado num projeto criativo. Todo poeta, todo pintor, todo cientista coleciona um número muito maior de fracassos do que de sucessos. Frases sem estrutura ou impacto, pinceladas inseguras, hipóteses

---

* Costica Bradatan. In Praise of Failure. *The New York Times*, 15 dez. 2013. Disponível em: <https://opinionator.blogs.nytimes.com/2013/12/15/in-praise-of-failure>.

erradas... Nos esportes não é diferente: o sucesso vem após muito suor; ninguém nasce campeão. Se não fracassamos, não avançamos.

O sucesso é filho do fracasso.

Muita gente tem aquela imagem do gênio como a pessoa que nunca falha, para quem tudo é sempre fácil, meio que magicamente. Grande ilusão. Todo gênio sofre as dores do parto criativo, perdido num labirinto de ideias, avançando na direção errada, tentando isso ou aquilo até encontrar uma solução. Talvez seja por isso que o escritor Irving Stone tenha dado o título *Agonia e êxtase* ao seu romance biográfico de Michelangelo, o grande pintor e escultor renascentista. Ambos são parte do processo criativo, a agonia que vem do fracasso e o êxtase de encontrar um caminho certo, de ter criado algo novo, algo que ninguém havia feito ou pensado antes, algo que abre uma nova porta para a humanidade, um novo modo de olhar para o mundo ou para nós mesmos.

Nada melhor do que fracassar para ganhar uma dose de humildade nos confrontos da vida. O fracasso nos ensina a sermos tolerantes com nossas limitações e, por consequência, com as limitações dos outros. Se tudo que fizéssemos fosse um grande sucesso, como poderíamos entender e ter empatia pelos que falham? O fracasso é essencial para a empatia, e a empatia é essencial para uma sociedade saudável.

Embora existam exceções, acredito que os melhores professores sejam aqueles que tiveram que trabalhar duro quando eram alunos, aqueles para quem o sucesso custou muito suor. A dedicação extra para entender o material do curso quando eram estudantes garante que, quando forem ensinar, tomarão mais cuidado, entendendo melhor as dificuldades dos alunos. Sem o fracasso, teríamos apenas vencedores, sem paciência com aqueles que precisam de um esforço maior para ter sucesso. Aliás, sem o fracasso, o sucesso não teria qualquer valor.

Com frequência, nossa vaidade pessoal distorce a memória dos nossos fracassos passados. Isso é o que ocorre com as pessoas arrogantes, aqueles que escondem seus fracassos e dificuldades sob uma máscara de sucesso permanente. Vemos isso por toda parte, nos colegas do time de futebol da escola a presidentes de empresas e nações. Se o fracasso fosse mais bem-aceito socialmente, a arrogância seria mais rara.

Para terminar, não posso deixar de mencionar o fracasso inevitável para todos, o fracasso final dos nossos corpos quando chega a nossa hora. Muitas pessoas, quando refletem sobre esse fato inevitável, se apegam à possibilidade de uma existência incorpórea, seja ela de caráter religioso ou científico.* Já outras, céticas do que a religião ou a ciência podem fazer pela imortalidade, ou simplesmente desinteressadas na extensão indeterminada de sua longevidade, se apegam à vida com tudo o que têm, focando suas energias no aqui e agora. Dadas as incertezas de uma existência incorpórea — como espírito ou como informação digitalizada —, me parece prudente abraçar a vida que temos aqui e agora, celebrando nossos fracassos, incluindo o nosso fim, como parte essencial de estarmos vivos. Uma vida sem fracassos é uma vida menos vivida.

---

\* Veja o ensaio "O futuro das mentes e das máquinas que pensam", sobre transumanismo e transcendência digital, na parte IV.

# A beleza oculta da imperfeição

É hora de explorar uma nova estética da Natureza. Nos últimos anos, em alguns de meus livros e ensaios,* venho discutindo a crise que vem emergindo na física de ponta, em particular, na busca por uma teoria que unifique todas as leis da Natureza, e a falta de dados, após décadas de experimentos diversos, que justifique tal busca. Este é um momento curioso na história da ciência, em que as expectativas de como a Natureza deve funcionar têm sido frustradas pelo silêncio persistente dos instrumentos científicos, cada vez mais intrincados e sofisticados, que se recusam a revelar alguma descoberta nova.

O ímpeto intelectual de buscar uma unidade fundamental nas leis que regem a Natureza é compreensível. (Eu mesmo passei anos da minha carreira trabalhando nesta área.) Afinal, uma leitura possível da história da ciência é a revelação, cada vez mais ampla, de uma unificação do que aparentemente são fenômenos naturais desconectados. Unificação, aqui, significa encontrar uma descrição única para coisas que, aparentemente, parecem não ter uma ligação entre si. Eis alguns exemplos históricos.

Os primeiros filósofos da Grécia Antiga, em torno de 600 a.C., formularam a questão essencial de seu pensamento em termos que são ainda

---

\* Ver, por exemplo, *Criação imperfeita* ou *A ilha do conhecimento*.

muito pertinentes: "Do que é feito o mundo?", perguntaram. Suas respostas iniciais foram já uma tentativa de unificação: para Tales, o primeiro deles, tudo era feito de água; para Anaximandro, seu discípulo, de uma substância primordial indefinida, de onde tudo vinha e para onde tudo voltava; para Anaxímenes, tudo era feito de ar, com densidades diferentes; para Heráclito, de fogo, com seu poder transformador. Já Aristóteles, em torno de 350 a.C., sugeriu que todos os objetos celestes são compostos de uma quinta substância, o éter, perfeito e imutável, enquanto, aqui na Terra, tudo é combinação dos quatro elementos básicos, terra, água, ar e fogo. Suas ideias irão influenciar o pensamento europeu por 2 mil anos.

No século XVII, Newton unificou os movimentos na Terra e nos céus com sua teoria da gravitação universal: a maçã cai e a Lua viaja em torno da Terra devido à mesma força entre duas ou mais massas. Essa descoberta abriu o cosmo por inteiro para a mente humana, que, agora, podia estender seu alcance aos confins do espaço. A escrita da Natureza é matemática, os movimentos seguem leis precisas, expressas através de equações.

Para Newton e seus sucessores, a geometria tem um papel básico, a linguagem do dialeto cósmico. A chave que abre as portas para os segredos da Criação é a simetria. Newton escreveu sua obra-prima, *Princípios matemáticos da filosofia natural*, como um tratado geométrico. A física, como descrição da Natureza, é o estudo dos movimentos e propriedades dos vários objetos, dos átomos a planetas, seguindo leis da geometria.

O sucesso da revolução newtoniana alavancou o Iluminismo do século XVIII. As ideias de Newton foram generalizadas e aplicadas ao estudo da sociedade e das suas leis. Usando uma formulação matemática da realidade natural e social como ponto de partida, filósofos e cientistas buscavam uma ordem fundamental do mundo, uma espécie de mapa da Criação, cujos segredos, quando desvendados, elevariam nossas mentes imperfeitas à perfeição abstrata da mente divina.

Essa interpretação do racionalismo iluminista mostra que a visão que muitas pessoas têm da ciência — como sendo uma mera descrição quantitativa da realidade material — é falsa. Por trás dela, vemos que essa busca por uma racionalidade na Natureza esconde algo mais profundo, a

O CALDEIRÃO AZUL    79

ciência como veículo de transcendência; o homem em busca de uma intelectualidade purificada, semidivina. O Iluminismo tentou eliminar Deus, ou, ao menos, limitar sua ação como criador do Universo e das suas leis, para pôr a razão humana em seu lugar. É essa a raiz do problema.

Em torno de 400 a.C., Platão havia proposto que a essência da realidade está no mundo das ideias, e não na realidade que percebemos com nossos sentidos. Para ele, este mundo das ideias era ancorado na matemática. A ciência desenvolvida por Newton e por seus sucessores, herdeira dessa tradição filosófica, busca as leis matemáticas da Natureza, o mapa racional da realidade. Com isso, o físico teórico tornou-se um tradutor cujo objetivo é revelar, aos poucos, as várias partes desse mapa, como peças de um quebra-cabeça. Não há dúvida de que este é um objetivo nobre. Mas ele vem com uma bagagem ideológica problemática.

Após Newton e o desenvolvimento da mecânica, a busca por uma unidade fundamental na Natureza deu um enorme passo no século XIX com o eletromagnetismo de James Maxwell e Michael Faraday, com os campos elétrico e magnético passando a ser vistos como manifestações de um único campo, que viaja no espaço na velocidade da luz.

Unificação tornou-se sinônimo de simplicidade, e simplicidade de beleza, especialmente quando expressa matematicamente através de alguma simetria. Por exemplo, um círculo permanece o mesmo quando é girado em torno de seu eixo central. Dizemos que é "invariante por uma rotação". Ou seja, após uma operação matemática (a rotação), permanece idêntico (é simétrico). Os gregos consideravam o círculo — a mais perfeita das formas — o tijolo essencial da realidade. A partir daí, o conceito de perfeição matemática foi adotado como estética da Natureza: a beleza (simetria matemática) como critério de verdade.

Nas últimas décadas do século XX, essa estratégia atingiu o clímax com a teoria de supercordas. Para unificar as quatro forças da Natureza (gravidade, eletromagnetismo e as forças nucleares forte e fraca) e as partículas conhecidas de matéria, a teoria necessita de seis dimensões extras do espaço e mais um tipo novo de simetria, a "supersimetria". Ambas as propriedades geram efeitos que experimentos podem, em princípio, detectar; essencialmente, novas partículas de matéria.

O plano, portanto, estava forjado: bastava encontrar essas novas partículas, conectá-las a modelos inspirados pela supersimetria e provar que, de fato, a estética da perfeição matemática como critério de verdade representa a essência da Natureza física.

Infelizmente, após quatro décadas de busca, as novas partículas não foram encontradas. Não temos qualquer evidência de que a supersimetria de fato exista. Os que continuam defendendo esse modelo da Natureza encolhem os ombros: "E daí? Talvez as partículas sejam pesadas demais para os detectores que temos no momento. Vamos continuar procurando que, eventualmente, vamos encontrá-las." Talvez. Ou, talvez, não existam mesmo. Essa é uma escolha difícil, que envolve não só os limites da pesquisa científica quanto aspectos mais subjetivos e emocionais. Se você aposta numa ideia por quarenta anos, fica difícil desistir dela. Infelizmente, a Natureza pouco se importa com nossos ideais estéticos.

Existe, no entanto, uma alternativa. Talvez, a estética baseada na "beleza como critério de verdade" seja mais um preconceito cultural do que uma diretriz científica. Não há dúvida de que ela serviu muito bem à física, e que inspirou inúmeras descobertas espetaculares. O erro, o perigo, é elevar esse sucesso à categoria de princípio da Natureza. Como argumentei em meu livro *Criação imperfeita*, essa atitude cria uma espécie de cegueira intelectual, não muito diferente do fervor religioso: "Existe apenas um caminho para a verdade, e é o que escolhi. Qualquer alternativa está errada."

E se virarmos essa ideia de cabeça para baixo e propor que a imperfeição, e não a perfeição, é o portal para os segredos da Natureza? Afinal, a história da física pode também ser contada como uma história de imperfeições e assimetrias se intrometendo nos sonhos de teorias perfeitas. Como explorei em *Criação imperfeita*, muitos dos chamados sucessos das várias unificações através da história ocorrem apenas em circunstâncias especiais. As equações de Maxwell do eletromagnetismo apenas revelam a belíssima simetria entre os campos elétrico e magnético na ausência de fontes (por exemplo, cargas elétricas e ímãs). Como este, existem vários outros exemplos, que vão da física à biologia.

Mais corretamente, podemos dizer que a Natureza funciona não por ser perfeita, mas por ser tanto perfeita quanto imperfeita. *A assimetria traz o desequilíbrio, e o desequilíbrio é a raiz de todas as transformações.* Em vez de coroar a perfeição como a essência da realidade, o mais correto é propor uma complementaridade das duas na descrição de como a Natureza funciona.

Como nas artes, que, há mais de um século, romperam com os ideais de perfeição do passado, a física precisa reconsiderar seu caminho atual. Uma estética da Natureza baseada na imperfeição é tão essencial quanto uma baseada na perfeição. Precisamos de ambas. Afinal, somos produto de inúmeras imperfeições e perfeições, de simetrias e assimetrias, todas elas parte da essência do cosmo. Somos capazes de desvendar algumas delas, e é este o objetivo central da ciência. Por outro lado, devemos, também, aceitar que somos parcialmente cegos para muito do que ocorre no mundo. Precisamos de humildade para aceitar que a essência da realidade permanece incognoscível. A ciência nos conta apenas parte da história, fornecendo um mapa incompleto do mundo. Não somos nós que decidimos como a Natureza funciona. É ela que tem a última palavra, sua essência revelada na tensão entre o perfeito e o imperfeito.

# Mapeando a realidade: em busca de uma perfeição inatingível

Como determinar se um mapa é bom? O escritor argentino Jorge Luis Borges, em uma de suas brilhantes alegorias, resumiu a situação em um conto de apenas um parágrafo, "Sobre o rigor na ciência":*

Naquele império, a Arte da Cartografia alcançou tal Perfeição que o mapa de uma única Província ocupava uma cidade inteira, e o mapa do Império uma Província inteira. Com o tempo, estes Mapas Desmedidos não bastaram e os Colégios de Cartógrafos levantaram um Mapa do Império que tinha o Tamanho do Império e coincidia com ele ponto por ponto. Menos Dedicadas ao Estudo da Cartografia, as gerações seguintes decidiram que esse dilatado Mapa era Inútil e não sem Impiedade entregaram-no às Inclemências do sol e dos Invernos. Nos Desertos do Oeste perduram despedaçadas Ruínas do Mapa habitadas por Animais e por Mendigos; em todo o País não há outra relíquia das Disciplinas Geográficas.

---

* Jorge Luis Borges. Sobre o rigor na ciência. In: _____. *História universal da infâmia*. Trad. Flávio José Cardozo. Porto Alegre: Globo, 1986.

84   MARCELO GLEISER

\*

O único mapa perfeito é o que reproduz todos os detalhes do que está representando, o "território". Daí o paradoxo: um mapa do tamanho do território que representa não tem nenhum valor. Um mapa perfeito é inútil.

Note o título do conto de Borges: "Sobre o rigor na ciência". Isso faz sentido porque podemos interpretar a ciência como sendo um mapa, uma representação do que vemos da Natureza (o território). Assim sendo, o conto de Borges é uma crítica aos cientistas que acreditam, futilmente, que o que fazem é produzir um mapa perfeito da realidade. A lição é simples: o mapa jamais será o território.

A analogia é bem apropriada, dado que captura tanto os objetivos quanto as frustrações da pesquisa científica: queremos aprender o máximo possível sobre o mundo, e traduzir o que aprendemos num mapa que outros podem ler. Quanto mais aprendemos, mais detalhado fica o mapa. Entretanto, como o filósofo francês Bernard Le Bovier de Fontenelle já sabia em 1686, podemos ver apenas uma fração do que existe. Por consequência, qualquer mapa que produzimos é necessariamente incompleto.

Identificamos, aqui, a tensão entre nossa curiosidade de sempre querer saber mais e nossa inevitável miopia, que nos impede de ver tudo. Esta tensão não é má, pois é ela que inspira nossa criatividade e inventividade. Nossos instrumentos científicos são ferramentas de exploração, que usamos para ampliar nossa visão do mundo, o que chamo de amplificadores do real.\* Da mesma forma que mapas evoluem quando aprendemos mais sobre a geografia terrestre, nossa compreensão científica da Natureza evolui quando podemos explorá-la mais profundamente com nossos instrumentos.

O perigo, como Borges nos alerta em seu conto, é que nossa ambição pode ir contra nossos objetivos. Sem uma reflexão maior, a necessidade de produzir mapas cada vez mais precisos da realidade, com a intenção de chegar ao mapa final, à descrição perfeita do território, é uma forma de cegueira. Borges, que

---

\* Ver meu livro *A ilha do conhecimento*.

ficou cego devido a cataratas intratáveis na época, sabia disso melhor do que a maioria. Mesmo com visão plena, muito do mundo permanece oculto.

Pela sua própria natureza, a ciência, em qualquer de suas disciplinas, nunca poderá chegar a um estado final de conhecimento considerado completo. Da mesma forma que, na prática, é impossível catalogar todas as espécies de insetos e de fungos no planeta, nunca poderemos ter certeza de que nossa descrição das interações entre as partículas subatômicas de matéria é, de fato, final.

No caso dos insetos e dos fungos, não só é impossível localizar todos eles na vastidão da superfície e subsolo terrestre, como devemos considerar que, durante o tempo que precisamos para levantar os dados, algumas espécies irão desaparecer, enquanto outras sofrerão mutações e consequentes transformações. Projetos com esse tipo de objetivo são elusivos, fato que deveria tanto inspirar e motivar mais estudos, quanto despertar uma boa dose de humildade.

No caso das partículas elementares, existe sempre a possibilidade de que alguma escape aos nossos detectores e algoritmos de busca. Nunca poderemos ter certeza de que a rede que estamos usando é fina o suficiente para capturar todas as partículas, pela simples razão de que nunca poderemos ter certeza de que sabemos tudo o que existe para ser capturado!

Um mapa serve um propósito preciso: guiar a pessoa do ponto A ao ponto B. Um mapa eficiente é o que faz isso deixando de lado todos os detalhes irrelevantes. Essa é a função dos modelos matemáticos que usamos em ciência, representações dos aspectos essenciais da realidade natural que queremos estudar, que deixam de fora o que não é necessário. Existe economia na simplicidade.

Pensando na ciência como um mapa e na Natureza como o território, Borges nos ensina algo muito precioso. Devemos nos orgulhar dos mapas que fazemos do mundo, tentando sempre melhorá-los. Por outro lado, devemos nos lembrar que todo mapa é limitado, fornecendo informação incompleta do território que mapeia. Vemos o mundo com olhos estritamente humanos, e nossos mapas imperfeitos são um reflexo disso.

# Tudo muda? Da essência da Natureza às amizades

A disputa mais antiga em filosofia (ao menos no Ocidente) continua influenciando e confundindo cientistas e filósofos. Trata-se, em termos pomposos, da batalha entre o Ser e o Devir. Ou, em termos menos pomposos, se a essência da Natureza é o que se transforma (Devir) ou o que é imutável (Ser).

Os que acham que esse tipo de debate é irrelevante, coisa para filósofos, e continuam marchando adiante sem se preocupar com essas coisas estão desperdiçando uma ótima oportunidade de viver suas vidas de forma mais completa. Para entender isso, vale voltar à Grécia Antiga, onde essas questões começaram a ser discutidas mais de 25 séculos atrás.

Em torno de 650 a.C., o filósofo grego Tales achava que o Universo era como um organismo, pulsando com vida, sempre em transformação. Para ele, a água, de que tudo vivo precisa, e que se adapta às circunstâncias mais diversas, capturava essa característica, que considerava a essência de tudo.

Muitos dos que moram nas cidades, cercados por concreto, carros e luzes artificiais, perdem essa visão do mundo como algo vivo. Mas basta sair um pouco da rotina, visitar um parque e olhar em torno, que fica claro que a Natureza vibra com vida e transformação. Ao se fechar numa realidade artificial de cimento e metal, o homem esconde-se de si mesmo, esquecendo-se das suas origens. Por consequência, sofre o homem, alienado, e sofre o planeta, esquecido.

Quase na mesma época de Tales, Parmênides respondeu com uma visão de mundo contrária: se você quer a verdade com V maiúsculo, não perca tempo com transformações, com coisas efêmeras. Busque o que não se transforma, o que é eterno. Essa sim é a essência do cosmo, o imutável, que Parmênides chamou de Eon. Platão, influenciado pelo pensamento de Parmênides, sugeriu que o mundo que vemos com nossos sentidos não é o mundo real, mas, sim, uma representação distorcida da realidade. Apenas no mundo das ideias, das abstrações racionais, encontramos o verdadeiro, o imutável. E é lá que o belo existe. (Com isso, fica claro por que, mais tarde, o cristianismo irá endossar essas ideias, devidamente adaptadas à imutabilidade de Deus.)

Traduzindo para a esfera social, e pedindo desculpas aos puristas, seria algo assim: o que é mais importante nas nossas vidas? Ter muitas amizades que vão surgindo e desaparecendo, ou ter uma amizade significativa que persiste ao longo dos anos?

Com o passar do tempo e o desenvolvimento da ciência moderna a partir do século XVII, o foco dessa discussão mudou para uma descrição quantitativa da Natureza, validada através de observações e experimentos. Mas o questionamento essencial permanece. Se a ciência é a busca pela verdade sobre o cosmo, que verdade é essa?

As ideias de Tales e Parmênides continuam ecoando pelos corredores acadêmicos, mesmo que poucos cientistas prestem atenção nas raízes filosóficas de sua visão de mundo. (O que leva a muita confusão.) Dado que muitos fenômenos naturais exibem padrões de comportamento que se repetem (por exemplo, as órbitas planetárias ou os níveis de energia dos elétrons nos átomos), podemos descrevê-los através de modelos matemáticos que obedecem a certas regras. Essas regras, quando podem ser aplicadas na descrição de muitos fenômenos, recebem o nome de "leis da Natureza".

Uma lei famosa é a lei da conservação de energia, que diz que a quantidade total de energia em qualquer processo natural, por mais complexo que seja, é a mesma antes e depois. Isso vale quando chutamos uma bola de futebol, mas também quando um buraco negro é formado. Se energia é dissipada devido ao atrito, basta adicionar essa perda ao total, que permanece constante no tempo.

Essas leis são válidas em qualquer parte do Universo. E nunca mudam, pelo menos até chegarmos perto do Big Bang, 13,8 bilhões de anos atrás, sobre o que pouco sabemos. Elas são, efetivamente, a versão moderna do Ser de Parmênides. Alguns, incluindo o eminente filósofo de Harvard e político brasileiro Roberto Mangabeira Unger,* tentaram desafiar essa imutabilidade das leis da Natureza: conhecemos pouco da física do Universo primordial, e é possível que violações tenham ocorrido no passado distante. Mas nada de concreto foi encontrado até agora: pelo que sabemos, as leis da Natureza permanecem imutáveis.

Por outro lado, olhando em torno, o que vemos é um Universo em transformação. Do nosso envelhecimento ao nascer de uma flor ou de uma estrela, das partículas subatômicas que emergem e desaparecem no vácuo quântico à própria expansão cósmica, tudo muda, sempre. Nada é, ou permanece, exatamente igual. A Natureza está sempre em fluxo.

E agora? Onde encontramos a essência do cosmo? Nas imutáveis leis da física ou nas transformações materiais?

Esta dicotomia me parece ser falsa. Podemos imaginar as leis da Natureza como sendo o coreógrafo responsável pela dança da energia e da matéria. O espetáculo, a realidade física, precisa de ambos. A alternativa seria um cosmo sem leis, sem estruturas organizadas. Neste Universo, não existiriam estrelas ou átomos, muito menos pessoas. Uma coreografia sem dançarinos faz tão pouco sentido quanto dançarinos sem uma coreografia. Um Universo sem leis naturais faz tão pouco sentido quanto leis naturais sem matéria. Essa dicotomia é tão falsa quanto o dualismo entre a mente e o corpo: o que é uma mente sem um corpo ou um corpo sem uma mente?

---

* Veja o livro de 2014, escrito em parceria com o físico Lee Smolin: *The Singular Universe and the Reality of Time: A Proposal in Natural Philosophy*, sem tradução para o português.

Está na hora de arquivar este debate entre Tales e Parmênides e suas muitas reencarnações e aceitar que precisamos de ambos para fazer sentido o mundo onde vivemos. Afinal, uma vida com aquela amizade antiga e única, e com outras mais recentes e passageiras, é uma vida mais vivida.

# Além do ponto de ruptura: quando desafios físicos se transformam em busca espiritual

Para cada um de nós, existe um ponto além do qual o cansaço físico se transforma em algo diferente. Este ponto não é fixo, mudando com o nível de preparo físico. Quanto mais em forma, mais a pessoa tem que trabalhar para alcançá-lo. Este ponto é como uma montanha, perdida na distância, coberta por uma densa neblina. Se você consegue alcançá-lo, jamais será o mesmo. É o que chamo de Ponto de Ruptura.

Note que o Ponto de Ruptura não é como a "parede", velha conhecida dos atletas de esportes de resistência, como maratonas ou triátlons de longa distância como o Ironman. A parede ocorre quando o seu corpo esgota as reservas musculares de glicogênio como combustível.* Quando isso acontece, a parede vem em minutos. Atletas bem treinados, especialmente os ultramaratonistas, sabem como evitar a parede. O segredo é uma combinação de treino e nutrição durante a atividade física. Para

---

* Glicogênio é uma substância depositada nos músculos como uma reserva de carboidratos. Quando combinado com água, vira glicose, um açúcar simples que é fonte essencial de energia nos organismos vivos. Durante o exercício físico, quando esgota a glicose, o corpo usa o glicogênio armazenado nos músculos para gerar mais glicose. Se esgota o glicogênio, o corpo fica sem uma opção simples de gerar energia. Daí a "parede".

corredores, o treino consiste em aumentar gradativamente a distância sem usar suplementos nutritivos. Já a nutrição durante a atividade deve incluir comidas sólidas e outros suplementos calóricos e eletrolíticos. Em ultramaratonas, definidas como corridas com distâncias acima dos 42 km da maratona, atletas comem consistentemente: suplementos calóricos em gel, barras ricas em carboidratos e proteína, queijo, sopas, sanduíches com manteiga de amendoim etc.

Porém, nenhum treino ou nutrição durante a atividade física pode eliminar definitivamente o Ponto de Ruptura. Com o treinamento rigoroso, ocorre raramente, e atletas de elite são mais imunes devido ao seu imenso preparo físico. (Alguns maratonistas e ultramaratonistas correm em torno de 150 a 200 km por semana. Infelizmente, pessoas com vidas normais não têm tempo para essa dedicação toda.)

Mas o Ponto de Ruptura existe para todos, novatos ou campeões mundiais. Se você tiver a persistência e a sorte de alcançá-lo, algo transformador ocorrerá com você. Tanto assim que, para alguns de nós, a busca pelo Ponto de Ruptura é uma obsessão.

A grande maioria das pessoas não entende a significância do Ponto de Ruptura. Até mesmo os que se exercitam regularmente tendem a moderar a intensidade quando o coração começa a bater muito rápido ou o corpo começa a doer. Alguns até toleram certa dose de dor, sabendo que ela traz os muitos benefícios do esporte. Mas nada de muito radical, certo? Esse tipo de atividade é perfeitamente válido se o seu objetivo é atingir um determinado nível de forma física.

Mas e se você quiser ir além, treinar para aprender a se sentir confortável com o desconforto? Ao contrário da "parede", o ponto onde a maioria das pessoas desiste, chegar ao Ponto de Ruptura é apenas o começo de um processo de profunda transformação física e mental, em que a dor física é inevitável. E não tem nada a ver com ser masoquista.

Até uns dez anos atrás, diria que esse tipo de atividade é uma grande bobagem. Para que esse sofrimento todo? Por que correr 80 km em trilhas montanhosas, ou participar de um Ironman, ou nadar quilômetros em mar aberto? Para que participar de uma corrida de obstáculos do tipo Spartan, subindo cordas, se arrastando na lama sob arame farpado, carregando sacos de areia ladeira acima, pulando muros de 2 metros e outros desafios igualmente cruéis? Por incrível que pareça, milhões de pessoas praticam esse tipo de esporte.

"Você vai entender na linha de chegada", diz o lema da corrida Spartan. Para entender o seu significado, você precisa lutar para chegar lá. A mágica ocorre na experiência do esforço, na vivência do sofrimento, na integração do corpo e da mente, no sucesso final, seja ele a vitória ou apenas completar a corrida, cruzando a linha de chegada.

Em 2013, comecei a treinar para praticar alguns desses esportes. Tudo começou quando corri minha primeira meia maratona em 2011, aos 52 anos. Até então, corria 8 ou 10 quilômetros umas três vezes por semana e olhe lá. Tanto meu sogro quanto minha esposa são corredores, e insistiam que eu deveria correr também. Resolvi tentar e comecei a treinar sério para minha meia maratona. Tinha três meses para me preparar.

Quando cruzei a linha de chegada em 1h58m, entendi que algo profundo havia mudado. Percebi logo que é difícil explicar em palavras por que esse tipo de esporte se tornou tão significativo para mim. E que queria tentar desafios mais intensos ainda. Outros atletas de resistência dizem o mesmo. Quando comento com amigos ou família que completei uma corrida de 80 km nos Alpes franceses ou em trilhas montanhosas no Canadá, ou uma "Spartan Beast" no Lago Tahoe, nos EUA, me olham como se fosse louco. "Cara, mas isso não é coisa para gente muito mais jovem?" *Não*, respondo. *Tem muita gente de 50 anos fazendo. Alguns até com 60.* (Hoje me incluo neste grupo!) "Quanto tempo demorou para terminar?", perguntam. *Umas 12 horas, mais ou menos*, respondo. E vejo a expressão no rosto deles, que diz tudo: "Que maluco, se matando nas trilhas em vez de beber uma boa cervejinha e comer uma linguiça calabresa..."

Não é fácil entender o impacto emocional do Ponto de Ruptura. Aliás, "entender" não é a palavra certa; é necessário viver a experiência para então dimensioná-la. Corridas de 80 ou 100 quilômetros nem são as mais intensas. Existem exemplos bem mais extremos.

Em Quioto, no Japão, uma cidade repleta de templos belíssimos, existe uma escola budista conhecida como Tendai. Há quase mil anos, seus monges residem numa montanha nos arredores da cidade, conhecida como Monte Hiei. Alguns deles, após passar por um processo de seleção extremamente rigoroso, embarcam numa peregrinação que usa o Ponto de Ruptura como portal para atingir nirvana, um estado iluminado de transcendência espiritual. Nada no mundo dos esportes de resistência se compara ao que fazem esses monges maratonistas.*

Os escolhidos (e são muito poucos) embarcam no Desafio de Mil Dias, Sennichi Kaihogyo, um circuito de sete anos em que devem percorrer uma distância semelhante à circum-navegação da Terra (cerca de 40 mil quilômetros) enquanto rezam e cantam em mais de 250 pontos sagrados na montanha: cachoeiras, fontes naturais, árvores sagradas, riachos, altares, templos.

Existem dois circuitos, um mais longo, de 46.570 km, e o mais "curto", de 38.630 km. Nos três primeiros anos, os monges devem percorrer 30 a 40 km por dia *por cem dias consecutivos*. No quarto e quinto ano, devem fazer o mesmo em dois blocos de cem dias. No sexto ano, a distância aumenta para 60 km por cem dias. E, no sétimo, aumenta ainda mais, *84 km por cem dias* e mais 30 ou 40 km por mais cem. Começam às duas da manhã, vestindo apenas um roupão e sandálias de palha. Sua dieta consiste principalmente em sopa missô e arroz. Os que completam o desafio (e existem outros estágios, que incluem não dormir, comer e beber por sete dias) são considerados Budas em vida e venerados como santos.

Visitei o Monte Hiei com minha esposa em janeiro de 2017. Sendo ultramaratonistas, queríamos correr nas mesmas trilhas e encontrar o único monge vivo hoje que completou o circuito. No dia que chegamos, uma forte nevasca cobriu a montanha de branco e espantou os turistas. Éramos só nós, os monges e alguns poucos devotos. A subida até o pico por bondinho já foi mágica, como se tivéssemos entrado numa realidade paralela.

---

* Você pode assistir a um documentário sobre esses monges neste link: <https://www.youtube.com/watch?v=emE-dxCyRz4>.

Fomos direto para o nosso quarto mudar de roupa para correr. Em minutos estávamos nas trilhas, mapa na mão, boquiabertos com a beleza do lugar. Subidas íngremes e muita neve tornaram a corrida bem difícil, e após uns 15 km estávamos cansados. Cercados de silêncio e branco, resolvemos mesmo assim continuar por uma trilha mais estreita. Ao longo dela, notamos alguns monumentos de pedra; sabíamos o que eram. Restos dos monges que falharam no Desafio dos Mil Dias e que, até o final do século XIX, tinham que se sacrificar em desgraça.

Felizmente, você não precisa ser um monge Tendai e correr 40 mil quilômetros para chegar ao Ponto de Ruptura. Se você tiver a disciplina mental de persistir além da dor, que, acredite, pode ser agonizante, talvez chegue lá. O processo não é fácil. Seu corpo vai implorar para que você pare. Sua mente vai ser invadida por pensamentos terríveis, tentando convencê-lo de que isso é uma loucura inútil, de que você vai acabar se machucando; até, quem sabe, morrer.

O que um monge Tendai faria? Continuaria marchando em frente com disciplina, rezando mais alto e com mais fervor, empurrando para longe os pensamentos nefastos. Mais importante ainda, manifestaria sua gratidão pelo momento, por estar vivendo sua vida com tanta intensidade, buscando um estado de transcendência espiritual. Saberia que estar nas trilhas, cercado de tanta beleza natural, é venerar a Natureza em corpo e espírito, um privilégio. E que fazer isso almejando o Ponto de Ruptura é a forma mais pura de devoção, quando todas as máscaras falsas com que cercamos nosso ego caem, permanecendo apenas sua essência mais profunda, o eu despido.

Temos reservas de energia e perseverança muito além do que imaginamos. Ao nos aproximar do Ponto de Ruptura, sentimos uma espécie de liberação, uma leveza inesperada que, em muitos, produz uma explosão de emoções. Naquele momento, a dor desaparece, o rosto se abre num enorme sorriso, e os olhos brilham com nova intensidade. Além do Ponto de Ruptura, você encontra um novo você.

O mais belo do processo é que não termina. Existe sempre um novo desafio, uma nova montanha na distância, que você mal pode esperar para explorar, o corpo pleno de energia e o coração sorrindo.

## PARTE II

# A IMPORTÂNCIA DE SER HUMANO

# A questão alienígena

## Curiosidade e miopia

Em 1686, o mesmo ano em que Isaac Newton publicou o seu monumental *Princípios matemáticos da filosofia natural*, em que elabora as leis de movimento e da gravitação, o francês Bernard Le Bovier de Fontenelle publicou *Conversa sobre a pluralidade dos mundos*, em que especula sobre a possibilidade de vida em outros planetas. O texto retrata uma conversa fictícia entre um filósofo e uma marquesa ao longo de passeios noturnos nos jardins de seu castelo. Além do fato de a marquesa, ou qualquer mulher, ser uma rara personagem principal num livro do século XVII, Fontenelle mostra sua modernidade em atribuir a ela uma intuição apuradíssima, que muitas vezes inspira e mesmo confunde o filósofo, que, astutamente, acolhe a confusão como parte indispensável do conhecimento. Num dado momento, o filósofo explica: "Toda a filosofia é fundada em duas coisas; curiosidade e miopia... o problema é que queremos ver mais do que podemos... Portanto, filósofos passam a vida duvidando do que veem e tecendo conjecturas sobre o que lhes escapa." Essa observação descreve perfeitamente tanto a filosofia quanto a questão alienígena, que trata da existência (ou não) de vida extraterrestre.

Passados mais de três séculos desde a publicação do livro de Fontenelle, a questão alienígena continua em aberto. Não sabemos ainda se existe vida fora da Terra, apesar de termos aprendido muito sobre a natureza dos sistemas planetários, sobre as propriedades muitas vezes espetaculares dos planetas e luas do nosso sistema solar, e sobre a existência de um número gigantesco de outros planetas e luas, girando em torno das centenas de bilhões de estrelas da nossa galáxia. Nosso conhecimento do cosmo hoje é profundamente diferente daquele vigente no final do século XVII. Dado o que sabemos, devemos especular, como fazem os filósofos naturais, sobre o que pode existir em outros mundos.

## O que é vida?

Qualquer discussão sobre vida extraterrestre deve começar com uma definição de vida. O problema é que não temos uma definição única, aceita pela comunidade científica. Alguns até argumentam que definir é limitar, e que no caso da vida é melhor deixar a questão em aberto: formas de vida inteiramente diversas das que conhecemos aqui podem existir em outros cantos do Universo. Pode ser, mas essa posição não é muito útil. Precisamos ao menos de uma definição operacional, algo que possamos usar quando vasculhamos outros mundos em busca de criaturas vivas. Cientistas da NASA adotam a seguinte definição: vida é um conjunto de reações químicas capazes de metabolizar energia do ambiente e de se reproduzir de acordo com o processo darwiniano de seleção natural. Em outras palavras, criaturas vivas consomem e secretam energia e produtos, se reproduzindo e se diversificando segundo descreve a teoria da evolução de Darwin.

É claro que essa definição é limitada. Bebês e vovôs não se reproduzem e estão vivos. Já os vírus ocupam uma área limítrofe, pois não têm células, mas passam a viver (a se reproduzir) quando em contato com uma célula que os hospeda. Essa definição operacional diferencia seres vivos de outros sistemas que se reproduzem — fogo, cristais, estrelas — fora da teoria da evolução.

A definição usada considera, também, que a química dos seres vivos é baseada nos compostos de carbono e facilitada em meios aquosos: ou seja, vida precisa de carbono e de água. Outros elementos químicos, como o silício, têm uma bioquímica muito mais limitada do que a do carbono; já outros meios líquidos, como a amônia, são bem menos versáteis do que a água.

## Vida e vida inteligente

Na busca por vida extraterrestre, é essencial diferenciar entre vida e vida inteligente. No caso da Terra, nosso único ponto de referência, a vida existe há pelo menos 3,5 bilhões de anos; vida inteligente, por outro lado, há apenas 200 mil anos, ao menos na forma da nossa espécie, *Homo sapiens*. Mais dramaticamente, durante a maior parte desse tempo, por 3 bilhões de anos, as únicas criaturas na Terra eram seres unicelulares, principalmente cianobactérias. Foram elas, após uma série de mutações acidentais, que evoluíram a ponto de realizar a fotossíntese, essencialmente transformando luz solar em oxigênio. Esse processo transformou a composição química da atmosfera, que, rica em oxigênio, possibilitou a existência de criaturas com metabolismos mais complexos, que necessitam de mais energia. Estamos aqui, nós e todos os outros seres multicelulares, devido a esse trabalho de bilhões de anos das cianobactérias.

A explosão na complexidade da vida na Terra ocorreu em torno de 540 milhões de anos atrás, durante a chamada Explosão do Cambriano. Num salto desproporcional, criaturas as mais distintas surgiram num intervalo de tempo relativamente curto, de duração de cerca de 20 milhões de anos, redefinindo a diversificação da vida. Apesar disso, vida complexa é diferente de vida complexa inteligente: os dinossauros, por exemplo, existiram por cerca de 150 milhões de anos (bem mais do que nós) sem evoluir qualquer forma de inteligência maior, capaz de compor sinfonias ou de construir radiotelescópios.

É comum confundir evolução com complexificação, visto que é isto que observamos aqui. A própria conotação da palavra "evolução", como uma mudança do mais simples ao mais complicado, contribui para isso. No entanto, a evolução da vida não tem um plano — uma teleologia — determinado; ela não visa "gerar" criaturas cada vez mais complexas, tendo a inteligência como objetivo final. O que a teoria da evolução por seleção natural nos diz é que a vida quer estar bem adaptada ao ambiente em que vive; se a coisa está funcionando bem, como no caso dos dinossauros por 150 milhões de anos, as mutações que irão invariavelmente ocorrer não levarão *necessariamente* a uma maior complexidade em direção à inteligência.

Por outro lado, é claro que a inteligência oferece uma enorme vantagem evolucionária: como as cianobactérias, somos capazes de mudar o planeta globalmente. Mas vamos além, pois temos a *intencionalidade* de fazer isso ou aquilo, a opção da escolha, algo que as bactérias não têm. Ademais, com nossa tecnologia, chegamos ao ápice da cadeia alimentícia, tendo a vida dos outros animais em nossas mãos. De fato, é muito pouco provável que mais de uma forma de vida inteligente possa conviver num único planeta. A extinção dos neandertais pelos nossos antepassados é bom exemplo disso.

## Vida extraterrestre

Nas últimas duas décadas, confirmamos o que há muito era suspeitado: que a maioria das estrelas têm planetas girando à sua volta. Na Via Láctea, nossa galáxia, são em torno de 250 bilhões de estrelas. Imagine a maioria dessas estrelas com planetas em órbita. Como sabemos, muitos dos planetas também têm luas. Júpiter, por exemplo, tem mais de setenta. Com isso, chegamos a mais de um trilhão de mundos em nossa galáxia apenas, cada um deles único em suas propriedades, com sua própria história. E a Via Láctea é uma dentre centenas de bilhões de galáxias no Universo. Os números são estonteantes. Dado que as mesmas leis físicas operam em todo o cosmo, podemos esperar que muitos desses mundos tenham condições semelhantes às da Terra: água líquida, uma atmosfera rica e diversificada, temperaturas relativamente estáveis, uma química capaz de gerar os compostos ricos em carbono que caracterizam os seres vivos. Difícil imaginar que, com essa diversidade planetária, não exista vida fora da Terra. Mas que vida será essa?

Pelos argumentos acima, podemos concluir duas coisas: primeiro, que a existência de vida extraterrestre deve ser distinguida da existência de vida extraterrestre inteligente, que seria muito mais rara; segundo, que as formas de vida existentes num determinado mundo dependem fundamentalmente da história desse mundo, das suas propriedades e da sua composição química. Com isso, deduzimos algo muito importante: dado que não existem dois mundos com a mesma história — por exemplo, com a mesma sequência de colisões com cometas e asteroides, a mesma posição entre outros planetas, o mesmo número e massa das luas — e dado que a diversificação da vida depende de mutações genéticas aleatórias, não existem formas de vida idênticas em mundos diferentes: *cada mundo tem suas próprias criaturas*, mesmo que possa haver uma repetição de certas características, como a simetria aproximada entre o lado esquerdo e o direito, ou ter órgãos sensoriais predominantemente na parte superior do corpo. A conclusão é tão importante quanto simples: *somos os únicos humanos no Universo*. Isso coloca nossa existência num outro patamar.

## Onde está todo mundo?

Em 1950, o famoso físico italiano Enrico Fermi estava almoçando com colegas no refeitório do laboratório nuclear de Los Alamos, nos EUA, quando, após rascunhar alguns cálculos no guardanapo, perguntou: "Cadê todo mundo?" Seus amigos se entreolharam e responderam que estava todo mundo ali. "Não vocês", disse Fermi, "os extraterrestres. Cadê eles?" Fermi argumentou que, como a Via Láctea tem em torno de 10 bilhões de anos (a Terra tem 4,5 bilhões) e 100 mil anos-luz de diâmetro, uma civilização inteligente que houvesse evoluído antes de nós teria tido tempo de sobra para colonizar a galáxia por inteiro, ou ao menos boa parte dela. Sendo assim, por que não temos evidência desses vizinhos alienígenas?

Para compreender o que Fermi dizia, basta ver que, se pudéssemos viajar a apenas um décimo da velocidade da luz (equivalente a 30.000 km/segundo), demoraríamos um milhão de anos para atravessar a galáxia. Uma civilização antiga com, digamos, 10 milhões de anos de vantagem sobre nós (o que não é nada em 10 bilhões de anos) teria já se espalhado pelas estrelas como nós nos espalhamos pela Terra. Este é o "Paradoxo de Fermi", usado como argumento *contra* a existência de inteligências extraterrestres: se são comuns, deveriam já ter nos visitado.

Os que defendem a existência de ETs inteligentes oferecem vários argumentos para explicar essa ausência de evidência. Por exemplo, vieram aqui e não se interessaram muito; não têm interesse em viajar pelas estrelas; se autodestroem quando descobrem tecnologias nucleares; estão aqui, mas não podemos vê-los; somos sua criação, seu experimento genético ou sua simulação de computador, um videogame que jogam.

Infelizmente, nenhum dos depoimentos de visitas e sequestros por ETs tem validade científica. Mesmo que milhares de pessoas jurem de pés juntos que tiveram contato com extraterrestres, não oferecem nada mais do que depoimentos orais. E depoimentos orais, por motivos óbvios, não podem ser aceitos como prova científica. O mesmo ocorre com fotos, que podem ser forjadas ou representar fenômenos atmosféricos e objetos voadores menos exóticos do que naves extraterrestres. A questão extraterrestre é séria demais para que nos deixemos levar por oportunismos ou devaneios, mesmo que aparentemente honestos.

Mesmo que existam outros seres inteligentes na nossa galáxia, a verdade é que estamos tão longe deles que, na prática, devemos nos considerar sós. Nas próximas décadas, deveremos obter alguma evidência, mesmo que indireta, da existência de vida em outro mundo. Por exemplo, é possível imaginar que missões espaciais com telescópios mais poderosos do que o Hubble serão capazes de determinar a composição aproximada da atmosfera de planetas girando em torno de outras estrelas. Se observações acusarem a presença de oxigênio, de água, de gás carbônico ou de ozônio em planetas na zona habitável de sua estrela (a zona onde água líquida e temperaturas temperadas são possíveis), teremos ao menos mundos candidatos onde a vida seria plausível; se, com sorte, acharmos clorofila na atmosfera, teremos prova concreta de que a vida existe por lá.

Missões em busca de evidência direta, isto é, que pousem em outros mundos, são ainda ficção. Com a tecnologia que temos hoje, uma missão até a Alfa Centauri, a estrela mais próxima do Sol, a 4,37 anos-luz de distância (mais precisamente, grupo de estrelas), demoraria em torno de 100 mil anos. Junte-se a isso o problema da radiação letal que existe no espaço e problemas fisiológicos diversos que ocorrem em viagens espaciais longas, e estamos fadados a ficar no nosso sistema solar por muito tempo.

## E se "eles" existirem?

Como em ciência devemos manter a cabeça aberta, e como não podemos eliminar a possibilidade da existência de ETs inteligentes, é importante abordar a questão da nossa segurança. Se a maioria dos filmes de ficção científica estiverem certos, os ETs só viriam aqui para nos destruir e se apossar da Terra e de suas fontes de energia e minérios. Em 2010, o físico Stephen Hawking escreveu sobre o assunto, alegando que o melhor é nos escondermos deles. Caso contrário, corremos o risco de sermos encontrados e eliminados. Afinal, se você está perdido numa floresta em meio a criaturas desconhecidas, a última coisa que deve fazer é gritar ou acusar sua presença.

Seria esse o caso? Devemos temer os ETs? Considerando a lista de medos que cidadãos modernos devem enfrentar (vejam ensaios a seguir) — o apocalipse nuclear; as epidemias causadas por novas doenças, sejam as naturais ou as geneticamente criadas; o terrorismo e o extremismo ideológico; o aquecimento global e suas consequências; as catástrofes naturais —, eu colocaria a ameaça de uma invasão de ETs no final. Temos problemas muito mais sérios e imediatos pela frente.

Conforme argumentamos, a possibilidade de que existam outras inteligências na nossa galáxia é remota (mesmo que não seja nula), e a possibilidade de que essas inteligências tenham tecnologias ou o interesse de vir aqui também. Mais relevante é o que a astronomia moderna nos leva a concluir sobre o planeta onde vivemos e nossa importância cósmica. Nosso planeta é uma joia rara, um oásis de vida em meio a um Universo hostil e indiferente. Somos nós — restos animados de estrelas capazes de especular sobre a possibilidade de vida extraterrestre ou o sentido da existência — a grande surpresa cósmica. Enquanto não travarmos contato com nossos vizinhos estelares, somos nós a única manifestação conhecida de inteligência cósmica, as mentes com que o Universo reflete sobre si mesmo.

# Uma breve história de Marte

Dos filmes e livros às sondas de exploração da NASA, Marte é sinônimo de fascínio e mistério. Haverá vida no planeta vermelho?

O planeta Marte está sempre nas manchetes. Recentemente, foi a descoberta de água líquida fluindo na sua superfície, e mais um tanto acumulada em crateras. A lista de filmes sobre Marte ou marcianos é longa. O filme de Ridley Scott, *Perdido em Marte*, baseado no livro de Andy Weir, lotou cinemas pelo mundo afora. Parece que o planeta vermelho não quer ser ofuscado pela Lua, especialmente agora que o bilionário Elon Musk diz que quer colonizar o planeta com sua empresa SpaceX.

Na mitologia greco-romana, Marte é o deus da guerra, guardião dos soldados e dos fazendeiros. A conexão com a guerra pode ser traçada aos egípcios. Os gregos o chamavam de Ares, um dos deuses do Olimpo, filho de Zeus e Hera. A cor avermelhada de Marte, plenamente visível a olho nu, inspira certo temor, dando ao planeta um ar de mistério. Que tipo de criatura pode habitar um mundo que aparenta ser coberto de sangue?

Com a astronomia restrita a observações a olho nu até 1609, pouco foi aprendido sobre Marte até então. Entre 1601 e 1609, o astrônomo alemão Johannes Kepler usou o planeta para deduzir que sua órbita tinha a forma de uma elipse, e não a de um círculo perfeito. Talvez a inspiração de Kepler tenha vindo do impulso guerreiro atribuído a Marte, refletido na sua órbita um tanto excêntrica (no sentido de não circular). O astrônomo bem sabia que sua visão ruía milênios de conhecimento astronômico, e que forçaria uma nova atribuição de imperfeição aos desenhos celestes.*

Já bem na era dos telescópios, e aproveitando a aproximação de Marte durante um período de ótima visibilidade em 1877, o astrônomo italiano Giovanni Schiaparelli observou certos detalhes do relevo marciano que descreveu usando a palavra italiana "canali". Mesmo que Schiaparelli estivesse se referindo às longas depressões e sulcos na superfície de Marte, algumas pessoas acreditaram que houvesse descoberto canais escavados, que cruzavam a superfície do planeta em padrões extremamente regulares.

Na imaginação popular, os canais logo se transformaram em vias artificiais, construídos por uma antiga e sábia civilização, dirigindo água dos polos aos centros urbanos das áreas equatoriais, castigadas por terríveis secas. Centenas de canais foram "observados" e batizados, mesmo se revelados apenas através de observações munidas de telescópios. Estranhamente, as fissuras recusavam-se a aparecer em fotografias tiradas com os mesmos telescópios. Astrônomos ofereceram várias explicações para essa situação um tanto peculiar, argumentando que técnicas fotográficas precisam de um longo período de exposição, tornando-as, assim, mais sensíveis a flutuações térmicas na atmosfera. Segundo eles, essas flutuações comprometem a qualidade das imagens fotográficas, apagando qualquer traço de existência dos canais. Algo semelhante ocorre quando viajamos em estradas com o asfalto aquecido pelo Sol e observamos imagens distorcidas à nossa frente.

Astrônomos de excelente reputação acreditaram com entusiasmo na existência dos extensos canais marcianos. Entre eles, o milionário e astrônomo amador americano Percival Lowell ficou fascinado com a possibilidade de vida inteligente em Marte. Em 1895, Lowell publicou um livro expondo suas ideias com grande convicção e autoridade. Usando

---

* No meu romance *A harmonia do mundo*, conto a incrível história de Kepler, suas descobertas e sua visão visionária do cosmo, inspirada por uma combinação de fervor religioso e preconceito filosófico.

sua fortuna pessoal, fundou um observatório em Flagstaff, no estado do Arizona, inicialmente dedicado exclusivamente a observar Marte. Não é por coincidência que H. G. Wells publicou seu livro *A Guerra dos Mundos* em 1898, um dos grandes clássicos da ficção científica, que conta a história de uma invasão marciana.

No livro, Wells usa os marcianos como metáfora para o futuro da humanidade, dominada pelos grandes impérios do final do século XIX (Austro--Húngaro, Otomano, Britânico, a América do Norte emergente...). Da mesma forma que duas espécies inteligentes não podem coexistir no mesmo planeta, uma conflagração entre os grandes impérios seria inevitável no futuro próximo. (Que se materializou, profeticamente, com a Primeira Guerra Mundial.) Os marcianos, forçados a abandonar o seu mundo, haviam criado terríveis máquinas de destruição, um aparato bélico que fazia das nossas armas brinquedos de criança. Não foi nossa inteligência ou estratégia que derrotou os invasores, mas a Natureza. Wells, imbuído dos ensinamentos de Darwin e sua teoria da evolução, sabia que qualquer espécie, inteligente ou não, só está bem adaptada ao ambiente onde vive. Os marcianos não tinham os anticorpos necessários para se defender contra os nossos micróbios.

Inspirado pelo livro de H. G. Wells, ainda mais dramático foi o programa de rádio criado e produzido em 1938 pelo genial Orson Welles, alertando os habitantes do estado de Nova Jersey para uma invasão de marcianos. *A Guerra dos Mundos* tornou-se "real" logo antes da Segunda Guerra Mundial. A série de transmissões, na forma de noticiários urgentes, causou verdadeiro pânico na população local. A maioria das pessoas acreditou passivamente nos noticiários, sem questionar a existência de uma civilização tecnologicamente avançada em Marte, aparentemente com péssimas intenções com relação à Terra e seus habitantes. Essa credibilidade só foi possível porque o planeta vermelho ocupava já um local privilegiado na psique coletiva como um mundo habitado por seres mais avançados, cuja índole destruidora causaria o nosso fim. Poucos entenderam que o que viam nos marcianos era um reflexo de nós aqui na Terra, uma espécie que, movida pela ganância e pela sede de poder, cria meios terríveis de autodestruição.

As duas versões do livro de Wells para o cinema — a primeira, de 1953, dirigida por Byron Haskin, e a segunda, de 2005, dirigida por Steven Spielberg — adaptam a narrativa para a realidade social da época. A versão de 1953 ecoa a era atômica e a Guerra Fria. Os marcianos querem aniquilar os humanos, sem, aparentemente, um motivo óbvio. Na versão de 2005, o foco é a desintegração da família e o medo da ameaça terrorista. Os monstros que vêm de Marte são os monstros que carregamos em nós mesmos.

Durante as décadas de 1960 e 1970, as várias sondas espaciais da linha Mariner e Viking provaram definitivamente que os extensos "canais marcianos" não existem. Também não existe qualquer traço de uma civilização inteligente em Marte, no presente ou no passado. Por outro lado, sabemos agora que o planeta apresenta uma geologia extremamente rica, mesmo se desértica e com temperaturas muito baixas. Vales e leitos de rios, vastos sistemas de cânions com mais de 4 mil quilômetros de extensão, enormes vulcões extintos, tudo isso indica que, no passado, Marte era um planeta muito diferente do que é hoje, com muita água e até, quem sabe, clima tropical.

Com as sondas mais recentes, que pousaram em Marte e exploraram a região vizinha ao seu local de pouso com pequenos jipes robóticos, ficou claro que o planeta é mesmo um deserto gelado, semelhante a certas regiões do Oeste americano. Seu tom avermelhado vem do acúmulo de poeira na superfície, formada por vários compostos de ferro e oxigênio. Essa poeira é levantada com frequência em terríveis tempestades de areia, que podem ser vistas até por telescópio.

Apesar de alguns alarmes falsos, a vida não foi detectada em Marte. Se existe vida lá, será simples, provavelmente bacteriana. Difícil que seja na superfície, dado que a atmosfera de Marte é muito fina, em média com menos de 1% da densidade da atmosfera terrestre: sem a proteção da atmosfera, a superfície é eficientemente esterilizada pela radiação ultravioleta oriunda do Sol. Para piorar, o gás carbônico (o que a gente exala quando respira) compõe 96% da atmosfera, tornando-a inviável para seres como nós. Com massa menor do que a Terra, em Marte o peso dos humanos seria em torno de 40% menor. Bom lugar para dietas, mas não para passar as férias. Seria uma viagem de pelo menos seis meses, sem qualquer garantia de volta.

Missões recentes confirmaram a presença de água líquida em certas encostas de Marte. Estrias escuras em terreno seco indicam a presença de água, semelhante ao que ocorre com o concreto, que escurece quando molhado. A alta quantidade de vários tipos de sais na água faz com que permaneça líquida mesmo a baixas temperaturas, no caso em torno de -30 graus Celsius. Infelizmente, essa alta salinidade também dificulta a existência de vida, semelhante ao que ocorre no Mar Morto em Israel e, mais dramaticamente, na lagoa de Don Juan, na Antártica, com salinidade 9,6 vezes mais elevada que no Mar Morto. Mesmo que a possibilidade de a vida existir nessas condições seja baixa, só saberemos se alguma criatura pode sobreviver nessas condições extremas se tivermos a oportunidade de investigar a área diretamente.

Apesar de parecer uma decisão simples, enviar uma sonda para essas regiões é um processo não só caro como complexo. O maior problema é a possibilidade de contaminação, isto é, de a própria sonda levar consigo criaturas terrestres, bactérias ou vírus. Certamente, numa questão dessa grandeza não queremos ser enganados, especialmente se a vida descoberta em Marte for idêntica à encontrada aqui, o que seria muito suspeito.

Não há dúvida de que a descoberta de vida extraterrestre seria uma das maiores notícias de todos os tempos. Contemplar a existência de outras formas de vida é contemplar a natureza de nossa própria existência como seres humanos. Até que ponto somos únicos e especiais?

Sabemos hoje que apenas em nossa galáxia existem em torno de 250 bilhões de estrelas, e que a maioria delas têm planetas girando à sua volta. Devemos, também, incluir as luas, que são potencialmente plataformas para a vida. Isso significa que existem *trilhões* de mundos apenas em nossa galáxia, cada qual com sua própria composição e história. Se as leis da física e da química são as mesmas nesses mundos — e sabemos que são —, fica difícil imaginar que somos o único planeta com vida. A probabilidade de vida extraterrestre é alta, mesmo se limitarmos nossa busca à Via Láctea e a criaturas semelhantes a nós, com química baseada em carbono e dependendo de água líquida.

Astrônomos que trabalham nessa área — chamada de astrobiologia — especulam que teremos indicação indireta de que a vida existe em outro planeta (fora do sistema solar) em duas ou três décadas. Essa "detecção" se dará através da análise da composição da atmosfera do planeta, que, otimistamente, teria gases associados à presença de vida, como oxigênio e ozônio. Vale lembrar, no entanto, que *detectar vida não é o mesmo que detectar vida inteligente*. Existe uma diferença enorme entre as duas coisas, a vida inteligente sendo certamente muito mais rara. (Veja ensaio anterior, "A questão alienígena".)

A vida existe na Terra há pelo menos 3,5 bilhões de anos. Em números arredondados, durante os primeiros 3 bilhões de anos, a vida aqui consistia apenas em seres unicelulares. A complexidade dos dinossauros veio muito depois. Nós estamos aqui apenas há 200 mil anos, resultado de uma série de mutações genéticas e acidentes cósmicos. A vida não é como uma semente, que brota e vai dar numa grande árvore. A vida não tem um plano final. A existência de inteligência é a exceção e não a regra.

Essa revelação da ciência moderna põe nosso medo dos marcianos num outro patamar, decididamente o da ficção científica. Voltando à obra de H. G. Wells, é melhor tomá-la como metáfora dos perigos que nossa espécie confronta no presente e no futuro próximo. Numa era em que a automação cega e a distância entre nós e o resto da vida em nosso planeta aumentam impunemente, a raridade da vida deveria ressoar com uma nova identidade para a humanidade, guardiões da Natureza num Universo profundamente hostil à vida. É hora de repensar nossa importância e raridade, tomando o destino da vida e do nosso planeta em nossas mãos.

# Lições de sobrevivência
# que ETs me ensinaram

A julgar pela quantidade sempre renovada de filmes e livros sobre ETs de todos os tipos, fica óbvio que temos um fascínio inesgotável por essas criaturas imaginárias.

Seres alienígenas habitam as profundezas do nosso inconsciente coletivo, espelhos do bem e do mal que somos capazes de fazer. Basta uma breve incursão na história do colonialismo, e, em particular, do embate entre os europeus e os nativos das Américas, da África e do Pacífico, para entender que, quando duas culturas colidem, a mais ingênua e desarmada perde feio. Somos nós os alienígenas. No decorrer da história, as representações ficcionais de seres extraterrestres refletem o que sabemos do mundo, o que sabemos de nós, os nossos medos e expectativas, as nossas esperanças e os nossos medos.

Existe, porém, algo que raramente consideramos em nossas reflexões sobre alienígenas. Não me refiro, aqui, aos tipos ficcionais que vivem nas páginas de nossos livros ou nas telas de cinema, mas aos que possivelmente existem em algum canto da nossa galáxia, ou de uma galáxia bem longe da nossa. Basta lembrar que nossa galáxia é uma dentre centenas de bilhões de outras espalhadas pela vastidão do espaço, cada qual contendo de dezenas de milhões a centenas de bilhões de estrelas. Portanto, a probabilidade de que inteligências extraterrestres existam é razoável, mesmo se nunca tivemos contato direto. Se existem, e este é o ponto que nos interessa, como sobrevivem aos seus desafios sociais, políticos e econômicos? Mesmo especulando sobre a existência de civilizações extraterrestres, podemos aprender lições essenciais sobre alguns de nossos dilemas atuais mais desafiadores, incluindo a sobrevivência de nossa própria espécie. Ou seja, podemos aprender lições de sobrevivência planetária com os ETs, o que é cada vez mais essencial nos dias de hoje.

Antes disso, é bom rever algumas informações importantes, de modo a contextualizar nosso argumento.

Como é o caso conosco aqui na Terra, os alienígenas vivem ou se originaram em algum planeta (ou lua) em órbita em torno de uma estrela. Para simplificar, vamos considerar apenas ETs com características gerais relativamente semelhantes às nossas: por exemplo, vida baseada em compostos de carbono e dependente de água. É possível que tenham evoluído muito além desses vínculos químicos, sendo mais máquinas do que carbono.* De qualquer forma, certamente tiveram uma origem bioquímica, mesmo que tenha ocorrido milhões de anos no passado.

Sua sobrevivência, tal como a nossa aqui, depende crucialmente da quantidade de energia emitida pelo seu sol em forma de radiação, e de como essa radiação interage com a atmosfera do planeta (ou lua) onde habitam. No nosso caso, a Terra absorve cerca de 71% da energia total do Sol que chega aqui: em torno de 23% dessa energia é absorvida na atmosfera por vapor d'água, poeira e ozônio, e cerca de 48% na superfície. São aproximadamente 160 watts por metro quadrado no solo. Imagine cobrir a superfície da Terra com lâmpadas de 160 watts a cada metro quadrado e tê-las iluminadas durante o Natal. Não seria um uso muito inteligente de energia, mas certamente uma imagem belíssima, se observada de altas altitudes.

Para que um planeta possa acolher formas de vida por um tempo relativamente longo (no mínimo, milhões de anos), é essencial que seja relativamente estável: sua órbita em torno da estrela não pode

---

\* Veja o ensaio "O futuro das mentes e das máquinas que pensam", na parte IV.

ser errática; sua composição atmosférica não pode mudar radicalmente em períodos geológicos curtos (de milhões de anos); seu clima deve ser estável, com flutuações de temperatura dentro do que é permissível metabolicamente, ou seja, não muito mais do que 100 graus em torno de zero Celsius. (Ou seja, de -50ºC a 50ºC. Existem exceções, como os seres que vivem perto de ventas vulcânicas submarinas onde as temperaturas podem ser mais altas. Mesmo assim, existem limites para que a vida seja viável.) O planeta precisa, também, receber enormes quantidades de energia, redistribuindo-a pela superfície através de processos climáticos e geológicos. Qualquer espécie alienígena que exista na nossa galáxia, principalmente se for inteligente, que é o que nos interessa aqui, precisará habitar um mundo que tenha propriedades gerais semelhantes a essas.

Por que as formas de vida inteligente precisam de maior estabilidade? Porque, para que a vida possa evoluir a partir de formas rudimentares, os seres unicelulares, até seres multicelulares complexos e, destes, até seres inteligentes, são necessários muitos milhões de anos, se não bilhões. (Aqui na Terra, foram pelo menos 3,5 bilhões de anos.) Da mesma forma que não dá para assistir à última cena de uma peça teatral com três horas de duração num teatro que pega fogo após uma hora, o palco em que ocorre a transformação da química inanimada em vida complexa, o planeta, tem que permitir que esse drama bioquímico evolua a passos lentos. E não há a menor garantia de que haverá um final feliz. (Se entendermos por felicidade a emergência de criaturas inteligentes.)

Nossa espécie existe há aproximadamente 200 mil anos, um tempo irrelevante quando comparado aos 4,5 bilhões de anos do nosso planeta. Num contexto cósmico, em que mesmo milhões de anos são um período efêmero, somos uma espécie ainda bebê, com muitos desafios a enfrentar pela frente, especialmente no que tange à nossa sobrevivência em longo prazo. É aqui que os ETs podem ser úteis.

A primeira coisa que devemos notar, ao menos baseados na nossa história, é que duas ou mais espécies inteligentes não podem coexistir no mesmo planeta. (Note que existem vários modos de definir e quantificar inteligência. Estou interessado aqui em espécies com inteligência criativa capaz de

116 MARCELO GLEISER

desenvolver tecnologias avançadas.) Dada a natureza combativa dos seres vivos, centrados, acima de tudo, na sobrevivência, outra espécie inteligente seria vista como uma ameaça, ao menos no início da corrida evolucionária. Aqui na Terra, os neandertais, que mostraram sinais de inteligência superior a outras espécies que os antecederam, foram parcialmente assimilados e, na maioria, aniquilados pelos nossos ancestrais.

A coexistência pacífica entre duas espécies que podem competir em pé de igualdade por recursos necessários para a sobrevivência é implausível, a menos que ambas tenham atingido um *patamar moral extremamente elevado*. Porém, até que isso ocorra, a partir do desenvolvimento de uma estrutura social estável e democrática onde a vida é respeitada acima de tudo, seria provavelmente tarde demais. (Mesmo numa mesma espécie, especialmente uma espécie inteligente com padrão moral inferior, valores culturais distintos e diferenças étnicas podem levar a conflitos sérios, do racismo a perseguições ideológicas, como vemos aqui todos os dias. Mas esse é um assunto para outro ensaio.)

Dada a dificuldade de coexistência entre duas espécies inteligentes, vamos, portanto, considerar seres alienígenas de uma mesma espécie, que, de alguma forma, encontraram os meios físicos e morais para sobreviver por milhões de anos. Quais os seus segredos?

Antes de tudo, entenderam que uma relação predatória com o seu planeta e com outras formas de vida levaria, mais cedo ou mais tarde, à sua própria destruição. Entenderam, também, que o seu planeta, mesmo que muito grande e fértil, tem recursos limitados, e que uma exploração irracional dele iria transformá-lo num deserto. O exemplo doloroso da Ilha de Páscoa ilustra perfeitamente o que poderia ocorrer numa escala global com uma espécie que tem uma relação parasítica com a terra da qual depende.

Os alienígenas teriam aprendido a *viver com* — e não contra — *o seu planeta*, respeitando seus recursos e planejando cuidadosamente como explorá-los de forma sustentável.

Teriam aprendido a otimizar e maximizar o uso da energia vinda de sua estrela, como estamos começando a fazer aqui com a energia solar e eólica.

Se a estrela não emitisse energia necessária para suas necessidades, os alienígenas teriam desenvolvido espelhos e outras tecnologias capazes de focar e aumentar a quantidade de energia atingindo a superfície do planeta.

Os alienígenas teriam entendido a interconectividade de todas as criaturas vivas; saberiam que ocupar o topo da cadeia alimentar significa ter a responsabilidade de preservar a biosfera, de modo a estender o uso de seus recursos por período ilimitado. Teriam aprendido que, para viver, precisariam encontrar meios de respeitar a diversidade da vida. Isso só poderia ocorrer se houvessem redefinido sua relação com outras criaturas vivas, indo de predadores a protetores.

Os alienígenas teriam entendido que a disparidade financeira (se tivessem uma economia) e a manipulação cultural levam à pobreza e à instabilidade social, ambas as causas dominantes da predação planetária; e que, para garantir sua sobrevivência em longo prazo, precisariam erradicar a desigualdade social. Teriam, portanto, criado valores morais que garantissem a igualdade social, dividindo recursos naturais e econômicos de forma justa e equilibrada. Por outro lado, não teriam erradicado a competição, por entenderem ser essencial para a inovação e a felicidade individual e coletiva; teriam, sim, criado mecanismos para assegurar que todos tivessem as mesmas oportunidades de atingir o sucesso. Saberiam que uma sociedade justa não precisa, ou não deve, ser estéril. Teriam entendido que essas metas socioeconômicas pedem o sacrifício dos que detêm mais recursos, mas saberiam, também, que esses sacrifícios seriam temporários, garantindo a sobrevivência de todos. Teriam criado, em longo prazo, uma sociedade com certo nível de disparidade — pois seus intelectuais já teriam entendido que a igualdade total leva a uma distopia — baseada na dignidade, no respeito e na justiça.

O resultado desse projeto alienígena de proteção de recursos naturais e justiça social em escala planetária seria revolucionário. Podemos chamá-lo de "socialismo natural". Uma vez iniciado, produziria uma transição nos valores morais da espécie, apagando os últimos vestígios da brutalidade intrínseca oriunda das disparidades e impulsos evolucionários. Levaria a uma nova era, baseada numa relação moral superior com o planeta, os animais, e entre todos os membros da sociedade. Essa nova era celebraria, ao mesmo tempo, a diferença individual e a unidade que conecta os habitantes de uma mesma espécie, todos dividindo o planeta e seus recursos naturais. Esses alienígenas teriam sobrevivido por milhões de anos, criando uma sociedade que mal podemos imaginar.

Temos, aqui na Terra, nesse conturbado século XXI, muito trabalho pela frente.

# Em busca de outros mundos: da especulação à realidade

Catástrofes políticas e disputas sociais à parte, vivemos numa época privilegiada, mesmo que poucos se deem conta disso. Foi nessa geração que pudemos visitar todos os mundos do nosso sistema solar, de Marte a Plutão, incluindo muitas das luas que circundam os planetas gigantes. Bom lembrar que, se temos apenas nossa preciosa e inspiradora Lua, Júpiter e Saturno têm mais de sessenta objetos gravitando à sua volta. Esses mundos, cada qual com suas propriedades, é um experimento astronômico único, em que a gravidade vira alquimista e, atuando juntamente com as ações da temperatura e da pressão, transforma aglomerados de matéria em planetas com oceanos, vulcões, cânions, desertos, furacões, tempestades de areia, e, ao menos no nosso, uma profusão de seres vivos.

Claro, curiosos que somos, não ficamos satisfeitos em saber o que ocorre na nossa vizinhança. Queremos estender nosso conhecimento além do sistema solar, mesmo que, no momento, seja impossível viajarmos até a estrela mais próxima, a Alfa Centauri, que, na verdade, é um aglomerado de três estrelas a 4,37 anos-luz de distância. (Ou seja, a luz demora quatro anos e quatro meses para viajar de lá até aqui.) Felizmente, com telescópios, não precisamos ir até esses mundos distantes; podemos simplesmente vê-los de longe, tanto direta quanto indiretamente, através de seus efeitos em objetos que podemos ver. Hoje, temos também telescópios montados em satélites em órbita muito acima da atmosfera. Mesmo que bem menores do que os telescópios terrestres, já que é difícil lançar um telescópio de 20 toneladas ao espaço, obtêm imagens extremamente claras, sem as distorções da atmosfera.

Dos caçadores de novos mundos, o telescópio espacial Kepler foi o mais sensacional até agora. Lançado em 2009 pela NASA com a missão de encontrar planetas do tamanho da Terra na nossa galáxia, até janeiro de 2015 Kepler descobriu 1.013 exoplanetas confirmados e outros 3.199 ainda candidatos. (Exoplaneta é um planeta que gira em torno de uma estrela além do nosso Sol.) Analisando essas descobertas estatisticamente, astrônomos calculam que, apenas na Via Láctea, existem em torno de *40 bilhões de planetas com dimensões semelhantes às da Terra* nas zonas habitáveis de estrelas comuns e do tipo anã vermelha (uma estrela menor e mais fria do que o Sol). Vale repetir: 40 bilhões de outros mundos semelhantes ao nosso, ao menos em tamanho e composição.

Baseados nesses resultados e no de outras missões dedicadas à busca por exoplanetas, podemos, também, afirmar que a maioria absoluta de estrelas têm planetas girando à sua volta. Pense nisso na próxima vez que olhar para o céu estrelado: cada ponto de luz na abóbada celeste, cada estrela, tem sua corte de planetas, muitos deles certamente rodeados por luas, como os do nosso sistema solar.

No século IV a.C., o filósofo grego Epicuro já especulava que "Existe uma infinidade de mundos, alguns como o nosso, outros distintos". Dois mil anos mais tarde, inspirado pela visão de Epicuro, o monge italiano Giordano Bruno escreveu que esses mundos seriam como a Terra, habitados e repletos de pecado. Isso, no final do século XVI, ia contra os ensinamentos da Igreja, que insistia na centralidade da Terra, única no cosmo. Se outros mundos existissem, a importância da Terra estaria ameaçada.

Sob um prisma diferente do da doutrina católica do século XVI, essa continua sendo a questão essencial na busca por outros mundos: somos a regra ou a exceção? Existem outras Terras espalhadas pelo cosmo? Ou será que nosso planeta é único em suas propriedades, tendo, portanto, uma importância ímpar?

Mesmo após a descoberta de tantos outros mundos, ainda é cedo para respondermos essa questão. Sabemos que outros mundos existem, e que muitos têm tamanhos e composição semelhantes aos da Terra, circulando suas estrelas a distâncias onde a água, se existir neles, poderá ser líquida, algo que usamos como condição imprescindível para a vida ter se originado e sobrevivido por bilhões de anos. (Refiro-me, aqui, à vida biologicamente semelhante à que temos aqui.)

Porém, a água líquida, e mesmo uma composição química semelhante (existência de carbono, oxigênio, nitrogênio etc.), é condição necessária, mas não suficiente, para a existência de vida. Ademais, como vimos nos ensaios anteriores, quando falamos de vida extraterrestre, temos que diferenciar entre seres simples, como as bactérias, e seres complexos, como os mamíferos ou os peixes. Seres inteligentes, capazes, como nós, de desenvolver tecnologias, seriam ainda mais raros.

Mesmo que estejamos, ainda, engatinhando na busca por outros planetas com vida, podemos já celebrar o que aprendemos até agora: primeiro, a existência de trilhões de mundos na nossa galáxia, e outros tantos nos bilhões de galáxias espalhadas pela vastidão do espaço; segundo, que alguns desses mundos têm propriedades semelhantes às da Terra, mesmo que jamais idênticas; terceiro que, se existir vida em alguns desses mundos, será única em cada um deles, adaptada às suas condições particulares. E, finalmente, que, por essa razão, somos únicos no cosmo, produtos de 4 bilhões de anos de evolução num planeta sem par.

Paradoxalmente, na incrível diversidade de mundos no cosmo, reencontramos a centralidade do nosso planeta e da nossa espécie.

# Terra, planeta único

Devemos, agora mais do que nunca, pensar com frequência sobre nossa casa cósmica. Vivendo em cidades, na correria do dia a dia, a gente pouco se dá conta do que ocorre ao nível planetário, ou de como nosso planeta é especial. Mas a Terra é única, e devemos nossa existência a ela.

Primeiro, temos uma cumplicidade com o Sol, nossa estrela-mãe. A energia que vem de lá, e que vem chegando aqui por quase 5 bilhões de anos, é fundamental para a vida. A Terra fica no que chamamos de zona de habitabilidade, a faixa de distância de uma estrela onde a água, se houver, tem chance de ser líquida. A premissa, aqui, é que, sem água, a vida é impossível. Por outro lado, vemos Vênus e Marte, nossos planetas vizinhos também na zona de habitabilidade do Sol, e a história lá é bem diferente. Como no futebol, estar bem posicionado não é suficiente para marcar um gol. O que, num jogador, chamamos de talento, num planeta chamamos de propriedades adequadas.

Vênus é um verdadeiro inferno, tão quente que as rochas, lá, são incandescentes. Além do mais, sua atmosfera ultradensa é rica em compostos de enxofre, incluindo o que dá o fedor dos ovos podres. Marte, o oposto, é um deserto gelado, com cânions de rios e outras estruturas geológicas que mostram que seu passado foi diferente. Acreditamos que, na sua infância, o Planeta Vermelho tenha tido água em abundância e até, quem sabe, algum tipo de vida rudimentar. Mas sua atmosfera foi desaparecendo aos poucos, vítima da gravidade mais fraca e dos ventos solares, a radiação que sai do Sol e se espalha pelo sistema solar, e a vida, se houve, tornou-se inviável.

A Terra tem uma idade aproximada de 4,53 bilhões de anos. Nos primeiros 600 milhões de anos, a situação aqui era bem dramática, com bombardeios constantes vindos dos céus, colisões de asteroides e cometas que "sobraram" durante a formação dos planetas e das suas luas. Esses visitantes trouxeram toda uma gama de compostos químicos e muita água, ingredientes da sopa que, em torno de 3,5 bilhões de anos atrás ou mesmo antes disso, daria origem às primeiras criaturas vivas.

Essas criaturas, muito simples, eram seres unicelulares do tipo procariotas. Vemos fósseis deles em algumas rochas bem antigas, como as descobertas na costa oeste da Austrália, na Baía do Tubarão. Durante um bilhão de anos, pouco aconteceu. A Terra foi se resfriando, os oceanos já bem formados, e regiões com terra firme foram cobrindo pequenas partes da superfície. Foi então que, em torno de 2,4 bilhões de anos atrás, esses seres unicelulares passaram por uma ou mais mutações fundamentais: descobriram a fotossíntese, a capacidade de transformar a energia solar em energia metabólica, consumindo gás carbônico e produzindo oxigênio. Aos poucos, essas criaturas foram mudando a composição da atmosfera da Terra, que foi ficando cada vez mais rica em oxigênio.

Devemos, em grande parte, nossa existência a essas bactérias e a essa mutação. Mas oxigênio não foi o suficiente. Formas de vida só podem evoluir de forma sustentável quando o planeta onde existem oferece condições para tal. Apesar das grandes transformações no decorrer da sua existência, a Terra permaneceu relativamente estável nos últimos 2 bilhões de anos, permitindo que formas de vida primitivas pudessem passar por incontáveis mutações. Os cataclismos que ocorreram — enormes erupções vulcânicas, emissão de metano em escala global, bombardeios de asteroides e cometas — mudaram as condições planetárias e, com isso, renegociaram as formas de vida que poderiam existir aqui. Felizmente, nunca a ponto de eliminar a vida por completo. (Se bem que a grande extinção do Permiano-Triássico chegou bem perto, eliminando cerca de 95% das formas de vida na Terra.)

Comparada aos outros mundos que conhecemos, a Terra se distingue por ser um oásis para a vida. Sua atmosfera protege a superfície dos raios ultravioleta letais que vêm do Sol. O campo magnético — resultado da circulação de ferro e níquel líquidos no centro do planeta — funciona como um escudo contra a radiação nociva que vem do espaço, principalmente partículas oriundas do Sol. O movimento lento das placas tectônicas, os grandes blocos de terra firme onde estão os continentes, recicla o gás carbônico entre os oceanos e a atmosfera. Termos apenas uma Lua, bem grande, que estabiliza o eixo de rotação da Terra em sua inclinação de 23,5 graus, permitindo que as estações do ano continuem ritmicamente por milhões de anos. Juntas, essas propriedades transformam nosso planeta no que é, a casa de milhões de formas de vida, das profundezas dos oceanos até os picos gelados das montanhas geladas. (Contanto que abaixo de 6 mil metros.)

Portanto, viva a Terra! Não estamos aqui por acaso. Somos produto disso tudo, das inúmeras mutações que transformaram bactérias em pessoas, dos acidentes cataclísmicos que redefiniram as condições planetárias, das inúmeras mudanças que ocorreram no decorrer de bilhões de anos de história.

Saber disso não nos diminui; pelo contrário, nos remete ao topo dessa cadeia de vida, nós que somos as criaturas capazes de reconstruir nosso passado com tanto detalhe e, ao mesmo tempo, nos questionar sobre o futuro. Por outro lado, é bom lembrar que estar no topo não significa desprezar o que está abaixo. Do poder vem a responsabilidade, no caso, a responsabilidade de proteger a vida e o planeta, entendendo que somos parte dessa dinâmica planetária, ou mais, completamente dependentes dela. Aprendemos muito sobre a Terra, mas continuamos à mercê da Natureza. Tratar a Terra e suas formas de vida com humildade e respeito é a única opção que temos se quisermos continuar por aqui por outros tantos milhares de anos.

# A unidade da vida

Se os vitorianos se ofenderam com a teoria da evolução de Darwin, que diz que somos descendentes de primatas, imagina se soubessem que nosso primeiro ancestral era muito mais primitivo do que isso, uma mera criatura unicelular, nada mais do que um micróbio. Sim, temos uma Eva microbial.

Hoje, sabemos que todas as criaturas vivas dividem o mesmo ancestral, chamado LUCA, do inglês *Last Universal Common Ancestor*, último ancestral comum universal.

Difícil imaginar uma visão mais unificada da vida: todas as criaturas vivas derivam diretamente de um ser unicelular, a raiz da complexa árvore da vida. Se pudéssemos passar o filme da vida ao contrário, mergulhando gradativamente no passado distante, eventualmente encontraríamos esse ser peculiar na linha de partida, o protagonista individual de um drama que vem se desenrolando por aproximadamente 4 bilhões de anos.

Muito possivelmente, existiram outras criaturas vivas antes do LUCA. Não sabemos exatamente quem eram ou quando existiram. Mas biólogos especializados no estudo de formas de vida primitiva conseguiram mapear a evolução de criaturas ancestrais em detalhe, um feito sensacional dadas as dificuldades de se encontrarem fósseis de criaturas que viveram no passado muito distante. No caso da vida muito primitiva, as pistas não vêm de ossos ou de fósseis impressos em rochas. A evidência vem do DNA, o material genético encontrado nas células, responsável pela reprodução.

Com isso, cientistas foram capazes de identificar o LUCA como um ser unicelular do tipo procariota (um micróbio com material genético sem uma membrana protetora), que viveu em torno de 3 bilhões de anos atrás. O organismo deve ter sido incrivelmente resistente, capaz de sobreviver em ambientes extremamente austeros.

A árvore da vida é extremamente complexa. Se você examinar uma ilustração recente, publicada em um artigo do *New York Times*,* descobrirá duas coisas surpreendentes: primeiro, que humanos e todos os outros animais são a minoria absoluta, um galhinho na parte direita inferior, parte dos eucariotas, os organismos cujas células têm o material genético protegido por uma membrana. (Os eucariotas incluem os animais, as plantas, os fungos e os protozoários.) Segundo, que a maioria absoluta das criaturas vivas são bactérias.

Perto dos eucariotas, você encontra as arqueias (do inglês, *archaea*), seres unicelulares capazes de sobreviver em ambientes extremos, como perto de ventas submarinas que jorram água fervendo, ou em pântanos praticamente sem oxigênio. A evidência acumulada até agora indica que o LUCA foi um tipo de arqueia.

O biólogo evolucionário William Martin, da Universidade Heinrich Heine em Düsseldorf, na Alemanha, tentou achar sinais do LUCA escondidos nos genes de bactérias e arqueias. A tarefa não é nada fácil, pois organismos podem trocar genes ao evoluírem, tornando difícil distinguir genes que vieram de uma linhagem antiga daqueles que foram obtidos mais recentemente. (Pense numa família que tem um saco de dinheiro que vai passando de geração em geração, e que, de vez em quando, recebe uma nota nova.)

Para identificar os genes antigos, o cientista buscou genes que ocorrem em pelo menos dois tipos de bactérias e arqueias modernas. Com isso, poderia identificar os genes que foram de fato herdados de ancestrais distantes (notas velhas) e não adquiridos numa troca recente (nota nova).

---

* Carl Zimmer. Scientists Unveil New "Tree of Life". *The New York Times*, 11 abr. 2016. Disponível em: <https://www.nytimes.com/2016/04/12/science/scientists-unveil-new-tree-of-life.html>.

Depois de estudar 2 mil micróbios modernos, cujos genes foram sequenciados nas últimas duas décadas, o time de Martin descobriu 355 famílias de genes que aparecem frequentemente, sugerindo que têm uma origem comum. Analisando os genes em detalhe, Martin e seus colaboradores concluíram que o LUCA era uma criatura anaeróbica (que vive sem oxigênio) e termofílica (que gosta de ambientes quentes). Em artigo da revista *Nature*,* escreveram,

> LUCA habitava um ambiente geoquímico ativo, rico em gás de hidrogênio, dióxido de carbono e ferro. Os resultados são consistentes com a teoria de que os primeiros seres vivos eram autotróficos (capazes de se alimentar de compostos químicos inorgânicos) [...] habitando ventas hidrotermais.

De acordo com esses resultados, o LUCA era uma criatura unicelular simples, que viveu onde a água do mar encontrava o magma que jorrava do interior da Terra, em ventas hidrotermais.

Alguns cientistas criticaram os resultados de Martin, argumentando que a vida veio da terra firme e que apenas mais tarde migrou para ambientes submarinos para se proteger de condições austeras na superfície, como, por exemplo, impactos de meteoros, que eram muito frequentes até 3,9 bilhões de anos atrás. Para resolver a disputa, seria necessário encontrar vestígios desse tipo de vida terrestre, uma tarefa muito difícil dada a idade das rochas e as transformações que passaram no decorrer de bilhões de anos. Sobra pouco, ou nada, da memória do passado distante. Mas ciência avança assim, de disputa em disputa, até que evidência conclusiva é acumulada a ponto de convencer a maioria dos membros da comunidade.

---

* Madeline C. Weiss, Filipa L. Sousa, Natalia Mrnjavac, Sinje Neukirchen, Mayo Roettger, Shijulal Nelson-Sathi e William F. Martin. The Physiology and Habitat of the Last Universal Common Ancestor. *Nature*, 25 jul. 2016. Disponível em: <https://www.nature.com/articles/nmicrobiol2016116>.

No momento, a evidência que temos sugere que nossa Eva ancestral era um organismo unicelular extremamente resistente, que gostava de nadar em água muito quente e de comer compostos simples. Não poderíamos esperar menos do incrível organismo que evoluiu para se tornar todas as outras criaturas que já existiram. Isso sim é legado genético!

# Dos micróbios ao homem: a vida tem um objetivo?

Primeiro, um esclarecimento: "objetivo", aqui, não significa viver uma vida com objetivo, cheia de significado. Este é um tema para outra hora. Aqui, examino se a vida na Terra, desde sua origem primordial ao surgimento do *Homo sapiens* (nós), tem um objetivo e, se tiver, qual seria.

O tema gera confusão. Afinal, a vida não é uma entidade com uma agenda. Não podemos afirmar que a vida, como um todo, tem uma espécie de inteligência coletiva, um plano de aonde quer chegar. Isto seria acreditar no que os filósofos chamam de teleologia, que existe um plano final e que os meios (a evolução da vida na Terra) justificam este fim (nós). Muitos cientistas acreditam nesse "excepcionalismo humano", alguns até bem conhecidos, como Simon Conway Morris, da Universidade de Cambridge. Mas não há qualquer evidência concreta nesta direção.

A vida, em sua definição mais fundamental, é um conjunto de reações químicas complexas que podem tanto extrair energia do ambiente à sua volta como se reproduzir, evoluindo de acordo com o processo de seleção natural. Simplificando, a vida é uma espécie de química faminta, capaz de se duplicar. Esta química vai de relativamente simples (organismos unicelulares) à complexa (lagostas, águias, nós).

132  MARCELO GLEISER

Existe, entretanto, algo muito incrível com relação à vida, o fato de que toda a vida na Terra tem a mesma raiz. Como vimos anteriormente, todas as criaturas, das plantas e insetos a pessoas, são descendentes do mesmo progenitor, conhecido como LUCA (do inglês, *Last Universal Common Ancestor*, último ancestral comum universal), que viveu em torno de 3 bilhões de anos atrás. Todos os seres vivos estão interconectados pela sua história evolucionária.

De acordo com a biologia moderna, e conforme Darwin intuiu no seu clássico *A origem das espécies*, a mãe de todas as criaturas vivas foi uma bactéria.

A questão que surge para muitos, especialmente após sabermos da existência do LUCA, é se a vida tem um objetivo. Por que a vida foi ficando cada vez mais complexa até chegar a nós?

O dogma da biologia tradicional vai contra isso. A vida evolve através de mutações aleatórias nos genes das criaturas, sem uma direção específica. Algumas dessas mutações são benéficas, mas a vasta maioria é nociva. De vez em quando, uma mutação leva a uma vantagem seletiva: o mutante é mais rápido, ou mais forte, ou mais esperto, e isto lhe permite viver por mais tempo e se reproduzir mais, deixando uma prole de "mutantinhos" mais poderosos do que seus primos. Eventualmente, após muito tempo, a espécie inteira será diferente de seus ancestrais de gerações passadas. Obviamente, LUCA é a melhor ilustração do poder das mutações, aliadas ao tempo muito longo.

De acordo com o dogma, portanto, a vida não tem um objetivo final, querendo apenas sobreviver. O tempo passa, os organismos se modificam através de mutações e aqueles com maiores chances de sobrevivência são os mais bem-sucedidos.

Por outro lado, se a vida tem um objetivo, ela certamente precisa se proteger contra cataclismos naturais que levariam à sua extinção. Por exemplo, os dinossauros estavam aqui por 150 milhões de anos e foram aniquilados pela colisão de um asteroide 65 milhões de anos atrás. De lá para cá, as coisas certamente mudaram; nós entramos na história. Talvez cientistas não consigam ainda prever exatamente quando um terremoto ou uma erupção vulcânica irá ocorrer, mas estamos chegando lá e já nos protegemos muito bem de variações climáticas. Ao contrário dos dinossauros, podemos até nos proteger de cometas e asteroides, se tivermos tempo suficiente para nos preparar. (Veja meu livro *O fim da Terra e do Céu* para mais detalhes.) Será que somos nós o objetivo da vida?

Para complicar a questão, o dogma da biologia vem sendo contestado ao menos em parte pelo advento da epigenética. A epigenética diz que, no longo código genético de uma criatura, certos genes (pedaços desse código) podem ser ativados ou desativados por circunstâncias diversas, ligadas ao ambiente e à qualidade de vida da criatura, independentes de mutações. É bom lembrar que os genes carregam instruções para as células produzirem proteínas, moléculas complexas que arquitetam os processos bioquímicos necessários à vida. Portanto, quando certos genes são ativados ou desativados, a produção das proteínas é afetada e, com isso, o organismo também é afetado.

Algumas dessas mudanças podem até ser passadas para futuras gerações. No entanto, ao contrário das mutações genéticas, que são permanentes, as modificações epigenéticas duram por apenas algumas gerações. Mesmo assim, isso significa que existe outro mecanismo que afeta os organismos ao nível genético, e, com isso, como populações vão se adaptando, acelerando o processo evolucionário. Em termos humanos, o que você come, o seu estilo de vida em geral, se você se exercita ou não, suas interações sociais, os estresses emocionais da sua vida podem, *potencialmente*, impactar sua expressão genética e serem passados para a sua prole. Usei itálicos aqui porque ainda não sabemos muito sobre os mecanismos epigenéticos e, infelizmente, tem muita pseudociência já se aproveitando disso, do tipo "sua mente pode curar seu câncer". Isso seria genial, sem dúvida, mas infelizmente não parece ser possível reprogramar genes com a mente.*

---

* David Gorski. Epigenetics: It Doesn't Mean What Quacks Think It Means. *Science-Based Medicine*, 4 fev. 2013. Disponível em: <https://sciencebasedmedicine.org/epigenetics-it-doesnt-mean-what-quacks-think-it-means>.

De volta à questão de a vida ter ou não um objetivo, mesmo com a epigenética, devemos concluir que não. Nossa inteligência não é parte de um grande plano, mas, sim, resultado de bilhões de anos de evolução num ambiente complexo e sempre em transformação. O objetivo que encontramos na vida vem *a posteriori*, resultado da nossa presença neste planeta extremamente raro. Agora que estamos aqui, e somos uma espécie capaz de produzir conhecimento, devemos aceitar nosso papel como expressão rara da vida e repensar nossa relação com as outras criaturas e com o planeta. Sendo um otimista, espero que o objetivo da vida — sua permanência — se transforme no objetivo coletivo da nossa espécie, e que nos tornemos os guardiões da vida e não o seu carrasco.

# Aprendendo com as crianças

Com frequência, levando meus filhos para a escola, tenho que desligar o rádio. Só se fala em morte: terroristas suicidas no Afeganistão, violência nas ruas do Brasil e do mundo, na faixa de Gaza, controle de armas para evitar mais ataques em escolas (nos EUA), corrupção política, o vício e a ganância do homem ocupando o centro do palco. Certa vez, meu filho Lucian, sentado no banco de trás, disse, horrorizado: "Ei pai, e você fica dizendo que videogame é que é violento!" Foi quando desliguei o rádio.

Vivemos numa sociedade que tem uma atração patológica pela morte. Aparentemente, boa notícia ou não vende ou não é interessante. Talvez, no sofrimento dos outros, encontremos — de forma mesquinha — um alívio para o nosso.

Contraste isso com uma experiência que tive alguns anos atrás, quando viajei pelo país durante a Semana Nacional de Ciência e Tecnologia. Mais de oitocentas cidades por todo o Brasil produziram algum tipo de evento sobre ciência com o objetivo de atrair o interesse das crianças e dos jovens aos estandes de exibição e atividades. Isso se repete todos os anos. Naquele ano (2013), Brasília foi o centro das atividades, focadas nos esportes e na melhora da qualidade de vida.

Ou seja, um foco na vida, através da ciência.

Todos os dias, milhares de crianças visitaram o centro de exposições, trazidas pelas suas escolas. As mais novinhas, do jardim de infância, andavam em fila de mãos dadas para não se perder nas multidões. De olhos arregalados, devoravam tudo o que viam, absorvendo o máximo de informação que podiam. Tenho certeza de que muitas delas, a maioria de áreas carentes, não se esquecerão desse dia especial, tão diferente dos outros. Pelo menos por um dia, a ciência se transformou num portal mágico, capaz de transportá-las para um mundo cheio de descobertas e fantasias.

O grande físico Isidor Rabi disse uma vez que os cientistas são os Peter Pan da sociedade, os que nunca param de fazer as perguntas que as crianças fazem o tempo todo, o "Por que isso? Por que aquilo?" que costuma irritar os pais que, em geral, não sabem a resposta e têm preguiça de procurá-la. (O que, aliás, é uma grande oportunidade perdida, pois nada melhor do que a família aprender junto algo novo.)

Para uma criança, o mundo é um grande laboratório, cheio de experiências a realizar, explorando como os objetos interagem entre si, como os animais vivem e comem, como as plantas crescem e morrem. Toda criança nasce cientista, testando hipóteses e experimentando para aprender. Deixar algo cair no chão para ver se quebra, encher um copo com um monte de fluidos e comidas fazendo "poções mágicas", pôr coisas no fogo para ver como queimam, misturar tintas de cores diferentes, fazer aviões de papel para ver os que voam melhor, colecionar insetos, tudo isso faz parte da exploração científica do mundo.

A Natureza se abre como um livro quando a curiosidade pode voar livremente.

Até, claro, os adultos chegarem.

"Não mexe nisso! Cuidado, vai quebrar! Você vai se queimar! Vai se molhar! Vai levar choque! Vai ser picado!" Sendo pai de cinco, entendo bem que temos que ensinar para as crianças a diferença entre explorar brincando e se machucar brincando de explorar. Mas existe uma diferença enorme entre educar uma criança a ter cuidado, e reprimir seus instintos de exploração, sua relação lúdica com o mundo. Nas escolas e em casa, forçamos as crianças a se conformarem a moldes rígidos de comportamento, a serem todas iguais, suprimindo comportamentos e atitudes vistas como "provocadoras", reprimindo perguntas que achamos "chatas", insistentes ou, pior ainda, "bobas". Até manifestações de carinho são, ocasionalmente, vistas com suspeita: não invada o espaço do Chiquinho, fique na sua "bolha". Queremos crianças afetuosas, mas dentro de nossos moldes ascéticos. (Isso costuma ser bem pior nos EUA do que no Brasil.)

Temos muito o que aprender com as crianças. Se queremos motivá-las a se interessar por ciência, temos que deixá-las soltas, dando-lhes espaço para realizar seus experimentos, para explorar, enquanto crescem num mundo tantas vezes hostil. E, no processo, nós, os adultos, os pais, os professores, acabamos nos liberando também, inspirados pelas crianças, por sua energia e curiosidade, e nos lembramos de focar nossa atenção na vida e não na morte e na destruição, no senso de *maravilhamento* com o mundo e com as pessoas.

É óbvio que precisamos examinar o que ocorre na sociedade e na política, como entendemos bem no Brasil atual. Mas, para construir uma sociedade saudável, é necessário vivenciar os dois opostos. Inspirados pelas crianças, os grandes portais de mídia e informação deveriam fazer o seu grande experimento, e estudar o que ocorreria com a sociedade se o foco das notícias deixasse de ser exclusivamente a morte, o crime, a corrupção e a fofoca leviana e incluísse, também, o bem viver e os grandes feitos da criatividade humana nas artes, nos esportes, na ciência. Se a intenção dos noticiários ao nos informar dos horrores de que somos capazes é mudar nosso comportamento, podemos com segurança absoluta afirmar que esse experimento fracassou. É hora de tentarmos outro, que enalteça o espírito humano, e não o esmague continuamente.

# A ciência é moral?

A aliança entre o Estado e a ciência data dos primórdios da civilização. Por milhares de anos, bem antes do início do século XVII marcar o nascimento da ciência moderna, artesãos desenvolveram ligas metálicas, arcos mais precisos, catapultas, pólvora e muitas outras invenções a serviço do Estado, tanto para defender quanto para atacar.

A pedido do rei Gelão II, o grande inventor e matemático grego Arquimedes desenhou armas para proteger a cidade de Siracusa dos navios romanos. Relatos históricos (talvez um pouco exagerados) contam que construiu catapultas gigantescas e usou espelhos e lentes gigantes para incendiar as naves invasoras.

De qualquer forma, a aplicação do conhecimento científico no desenvolvimento de armamentos é parte essencial da história da humanidade. Felizmente, essa não é, me parece, a motivação principal que leva jovens a seguir uma carreira científica. A maioria escolhe ser cientista para se engajar no estudo da Natureza em todas as suas manifestações, vivas (nas ciências biológicas) e não vivas (nas ciências físicas), ou para desenvolver tecnologias que potencialmente possam melhorar a qualidade de vida da humanidade: mais conforto e energia, mais comida, mais saúde. Por outro lado, a maioria absoluta das áreas de pesquisa necessitam de fomento, seja ele proveniente do governo ou da iniciativa privada. É aqui que nasce a aliança entre a ciência e o Estado.

A intensidade dessa aliança depende de circunstâncias políticas. Tipicamente, em tempos de guerra ou durante regimes autoritários, a aliança é fortalecida e o Estado engaja cientistas para defender seus interesses estratégicos. Dentro dessa realidade, as reações dos cientistas são variadas. Por exemplo, enquanto os irmãos Wright não tiveram o menor escrúpulo em vender seus aviões para o exército americano em 1909, o uso de aviões como armas de guerra horrorizou nosso Santos Dumont, a ponto de possivelmente ter contribuído para o seu suicídio em 1932.

Na Primeira Guerra Mundial, o impacto da ciência foi essencial. Essa guerra é muitas vezes chamada de "Guerra dos Químicos", pelo uso de gases venenosos nas frentes de batalha, com resultados devastadores para ambos os lados. Mais de 124 mil toneladas de gases venenosos foram usados, em violação da Convenção de Haia de 1899. Na Alemanha, grandes empresas como a Bayer, a Hoechst e a BASF uniram-se ao Instituto de Pesquisas Kaiser Wilhelm, sob a direção do Prêmio Nobel de Química Fritz Haber, para desenvolver bombas capazes de espalhar os gases nas trincheiras. (Haber recebeu o prêmio em 1918, quando a guerra estava terminando.)

A contratação de empresas privadas pelo Estado é típica nesses casos. Em geral, as guerras são ganhas por aqueles que detêm as tecnologias mais avançadas. Quando necessário, o Estado desenvolve complexos de pesquisa dedicados ao desenvolvimento de novas tecnologias bélicas, muitas vezes contratando times de cientistas para chefiar as pesquisas, como no caso de Fritz Haber. A aliança entre o Estado e a ciência é vista como essencial para proteger a população e a hegemonia estatal: o cientista, patriota, vê-se encurralado, sabendo, ao mesmo tempo, que seus conhecimentos podem defender seu país e comunidade e, também, a devastação que podem causar.

Se a Primeira Guerra Mundial foi a "guerra dos químicos", a Segunda foi a dos físicos. Entre a invenção do radar em 1935, alguns anos antes da guerra e, mais dramaticamente, a bomba atômica em 1945, a aplicação de conceitos novos da física no desenvolvimento de equipamentos de detecção e armamentos de destruição teve um papel essencial na vitória dos Aliados. Por outro lado, despertou, também, uma conscientização do poder da ciência inédita na história.

Após o primeiro teste da bomba atômica no deserto de Alamogordo, no Novo México, o físico e diretor do Projeto Manhattan, J. Robert Oppenheimer, citou o Bhagavad Gita, a escritura religiosa hindu, para expressar seus sentimentos: "Agora sou a Morte, destruidora de mundos." Para Oppenheimer e todos os demais cientistas e militares presentes no teste, ficou claro que o mundo jamais seria o mesmo. Pela primeira vez na história, o homem tinha uma arma com poder de destruição de proporções globais.

Enquanto muitos cientistas eram veementemente contra o uso de armas nucleares em qualquer conflito, outros não viam outra forma de deter o inimigo. O orgulho nacional misturado com o patriotismo, a curiosidade científica e o medo de que os nazistas pudessem, também, desenvolver a bomba atômica eram um combustível poderoso. (Após a guerra, ficou claro que os nazistas estavam longe de construir uma bomba atômica. Mas antes, durante o conflito, a informação era inconsistente.) Mesmo assim, continua sendo um mistério como o grupo de cientistas que trabalhou no Projeto Manhattan, na maioria, indivíduos de natureza pacífica, intelectualmente abertos, e sempre dispostos a dividir o conhecimento entre si, colaborou na construção de uma arma tão nefasta.

Por outro lado, uma vez que a arma foi construída, a decisão de usá-la não pertencia aos cientistas que a criaram. Este é um ponto *essencial* na aliança entre o Estado e a ciência: mesmo que, ocasionalmente, cientistas possam trabalhar entusiasticamente no desenvolvimento de uma nova arma, a decisão de como e onde usá-la vem do Poder Executivo, presumivelmente com o apoio do Legislativo (ou não, em regimes autoritários).

O sucesso da ciência norte-americana durante a Segunda Guerra iniciou uma nova era no fomento da pesquisa científica, tanto básica quanto aplicada. No pós-guerra, a corrida armamentista disparou, aquecida pela Guerra Fria e pelo medo de um ataque soviético. Na década de 1960, a corrida espacial pôs lenha no fogo, acelerando ainda mais o fomento da pesquisa. Tanto nos EUA quanto na União Soviética, a ciência básica era

142  MARCELO GLEISER

vista como essencial na geração de ideias que, potencialmente, poderiam ser usadas em tecnologias de defesa. Em julho de 1945, Vannevar Bush, diretor do Departamento de Pesquisa e Desenvolvimento Científico dos EUA, declarou num relatório para o presidente Truman (iniciado sob o governo do presidente Roosevelt), intitulado "Ciência: a fronteira sem fim":

> O espírito dos pioneiros ainda é vigoroso em nossa nação. A ciência oferece um território inexplorado para o pioneiro que detenha os instrumentos necessários para esse objetivo. As recompensas dessa exploração para a nação e para o indivíduo são enormes. O progresso científico é a chave essencial para a segurança nacional, para a nossa saúde, para gerar novos empregos e uma qualidade de vida mais elevada, para nosso progresso cultural.

*A ciência é uma oportunidade para o indivíduo e para a nação.* Não pode progredir sozinha, precisando ser apoiada pelo Estado e pela iniciativa privada. Obviamente, a pesquisa industrial é essencial, e hoje é dominante, inclusive na corrida espacial.

O que é raramente discutido, mesmo que sempre esteja implícito, é a moralidade das escolhas que são (ou não) feitas por cientistas que trabalham nas diversas áreas de pesquisa. Rotular a ciência como sendo moral ou imoral não faz sentido. A ciência em si é amoral, uma coletânea de fatos sobre o mundo natural obtidos pacientemente por cientistas, profissionais que seguem uma metodologia de análise quantitativa de dados e observações. Isso é tanto verdade para os cientistas que estudam frentes de choque em detonações explosivas, como para os cientistas, engenheiros e técnicos que desenham ou trabalham nas linhas de montagem de bombas, ou para físicos de partículas que buscam os componentes fundamentais da matéria.

A questão do uso moral da ciência emerge na relação entre os cientistas e os seus patronos, sejam eles o governo ou o setor privado. É verdade que ter uma arma não é a mesma coisa do que usar a arma. Desde o bombardeio de Nagasaki pelos EUA, nenhuma outra bomba atômica foi usada.

A política de prevenção de conflitos nucleares, ao menos até agora, está funcionando. Porém, também é possível argumentar que ter uma arma é a condição essencial para usá-la. Ter uma vasta coleção de armas nucleares é uma estratégia de paz um tanto instável, assunto a que voltaremos adiante. E este é o cerne da questão na aliança entre a ciência e o Estado. A aliança é, por construção, instável. A decisão do uso das armas, inclusive as nucleares, está nas mãos do líder do país, que é, em última instância, a pessoa responsável pelo seu uso. Não são os cientistas que decidem quais armas são usadas, ou quando.

Portanto, o que dizer do cientista que trabalha nessa área?

Não me parece que há uma resposta simples. Existem várias profissões que podem prejudicar ou ferir pessoas. Existem muitos modos de ferir o outro. Se o fazem dentro da indústria bélica, é porque escolheram fazê-lo, por uma ideologia de patriotismo, de orgulho nacionalista, ou porque foi o emprego que conseguiram. Porém, a decisão moral de como a ciência é usada está nas mãos daqueles que detêm o poder de ação. Por isso, é essencial que o cidadão saiba escolher seus líderes políticos. E que cientistas saibam refletir, criticamente, sobre a natureza de seu trabalho.

## PARTE III

# UM MUNDO EM CRISE

Nos próximos três ensaios, reflito sobre nosso futuro coletivo. Meu objetivo é trazer à tona alguns dos maiores desafios que a humanidade enfrenta no momento. Considero dois tipos de desafios: aqueles naturais e os que são produto da ação humana. Pretendo expor alguns dos perigos e descrever mecanismos que foram propostos para lidar com os desafios. Minha intenção, aqui, não é oferecer uma análise detalhada de cada questão, mas convidar o leitor à reflexão e, espero, à ação.

# Holocausto nuclear: história e futuro

O termo Destruição Mútua Assegurada é perversamente ideal para descrever o que ocorreria caso as grandes potências nucleares do mundo entrassem em conflito aberto. Em inglês, o termo tem as iniciais M.A.D. (*Mutually Assured Destruction*), que já diz tudo: "mad" significa louco. Apesar de parecer coisa do passado, da Guerra Fria entre os EUA e a União Soviética, a verdade é que a ameaça nuclear persiste e continua sendo a maior que a humanidade poderá enfrentar no futuro. Na conturbada luta pela Presidência norte-americana, Hillary Clinton, a candidata dos Democratas, usou várias vezes o tema como indicação do perigo de ter uma pessoa como Donald Trump no poder: "Imagine que, se Trump vencer, será ele a decidir se usamos ou não armas nucleares durante o seu governo!"

Em 1933, quando Adolf Hitler ascendia ao poder na Alemanha, o físico húngaro Leo Szilárd propôs a possibilidade de uma reação nuclear em cadeia, em que nêutrons liberados de um núcleo atômico radioativo colidiriam com outros núcleos pesados, causando sua divisão (fissão) em núcleos menores. Imagine os nêutrons como pequenas balas que, ao atingirem núcleos maiores, os quebram em dois pedaços, os núcleos de átomos menores. Essa é a fissão nuclear.

Szilárd mostrou que, cada vez que essa fissão ocorre, um pouco de energia é liberado, juntamente com outros nêutrons. Esses nêutrons, por sua vez, atingem núcleos vizinhos, multiplicando o efeito. A reação em cadeia ocorre quando um número gigantesco de átomos é fissionado, resultando numa enorme liberação de energia. Se a velocidade da reação não é controlada, o resultado é uma explosão de proporções apocalípticas. Em 1939, trabalhando na Universidade de Chicago com o físico italiano Enrico Fermi, Szilárd demonstrou no laboratório a possibilidade da reação em cadeia por emissão de nêutrons.

O físico compreendeu imediatamente que a realização da reação nuclear em cadeia representava uma mudança radical na história coletiva da humanidade. Descontrolada, a reação poderia ser convertida numa bomba. Szilárd convenceu Albert Einstein a escrever uma carta ao presidente norte-americano Franklin Roosevelt, na tentativa de persuadi-lo da urgência do problema e sugerindo que os Estados Unidos iniciassem imediatamente um programa de desenvolvimento da bomba atômica *antes* que os nazistas o fizessem. Se Hitler tivesse a bomba em mãos, a história do século XX teria sido outra, que prefiro não imaginar. (Quem assistiu à excelente série da HBO, *The Man in the High Castle*, tem uma ideia de que mundo seria esse.)

O resultado foi o Projeto Manhattan, iniciado ao final de 1941, uma operação de proporções ciclópicas liderada no laboratório de Los Alamos pelo físico J. Robert Oppenheimer e supervisionada pelo general Leslie Groves.

No dia 16 de julho de 1945, a primeira bomba atômica foi detonada no deserto de Alamogordo, no estado do Novo México. A nuvem em forma de cogumelo atingiu uma altura de quase 13 mil metros (como comparação, o Monte Everest tem uma altitude de 8.800 metros) e quebrou janelas a mais de 150 quilômetros de distância. Quando viu o resultado, Oppenheimer citou o famoso texto do Bhagavad Gita, o livro sagrado do hinduísmo: "Agora sou a Morte, destruidora de mundos." Nos dias 6 e 9 de agosto de 1945, os Estados Unidos bombardearam Hiroshima e Nagasaki, o único uso de bombas nucleares sobre uma população civil na história. Entre 90 mil e 146 mil pessoas morreram em Hiroshima, e 39 mil e 80 mil em Nagasaki, com aproximadamente metade das fatalidades no primeiro dia após o bombardeio.

Em maio de 2016, o presidente norte-americano Barack Obama visitou Hiroshima para homenagear as vítimas do genocídio. Foi a primeira visita ao local por um presidente americano em mandato. "Conhecemos a agonia da guerra", disse. "Agora, vamos juntos encontrar a coragem de difundir a paz, e lutar por um mundo sem armas nucleares."

Infelizmente, estamos muito longe desse objetivo. Alguns anos após a bomba de fissão nuclear, veio a bomba termonuclear, ou de fusão nuclear, ou bomba H, muito mais poderosa e destruidora. A fusão nuclear faz o oposto da fissão, liberando energia ao fundir núcleos leves em núcleos mais pesados. Por frações de segundo, a fusão de isótopos de hidrogênio em núcleos mais pesados repete processos nucleares semelhantes aos que produzem a energia que faz o Sol e todas as estrelas brilharem.

Os Estados Unidos detonaram a primeira bomba termonuclear em 1952, imaginando ter atingido supremacia bélica total. Em menos de um ano, os soviéticos responderam, detonando a sua primeira bomba termonuclear. A Guerra Fria havia começado de vez.

Durante as décadas de 1950 e 1960, a construção de armas nucleares disparou. Como comentou o ex-secretário de Defesa norte-americano William J. Perry — uma das maiores autoridades mundiais em armas nucleares — em seu livro *My Journey at the Nuclear Brink* (Minha jornada à beira do conflito nuclear), foi por pura sorte que a Crise dos Mísseis de 1962 na Baía dos Porcos, em Cuba, não virou uma guerra nuclear total. Perry trabalhava, então, obtendo informações sobre os mísseis nucleares soviéticos sendo armados em Cuba, e acreditava que cada dia de trabalho "seria o meu último na Terra".

No auge da Guerra Fria, os EUA tinham 1.054 mísseis balísticos intercontinentais e 656 mísseis nucleares detonáveis armados em submarinos, segundo o Arquivo de Segurança Nacional americano. A exatidão desses números é disputada, o que não é nada surpreendente, dada a natureza secreta dos armamentos. Por exemplo, o livro-texto on-line *Alpha History* lista que, em 1962, os EUA tinham quase 7 mil armas nucleares, enquanto a União Soviética tinha quinhentas. De qualquer forma, considerando o que uma única bomba pode fazer, os números são assombrosos. Hoje, vá-

152    MARCELO GLEISER

rios países fazem parte desse clube: Grã-Bretanha, França, China, Israel, África do Sul, Índia, Paquistão. Quanto maior o número de países com armamentos nucleares, maior o risco de conflito.

Em 1972, um programa de destruição das armas nucleares foi iniciado pelos EUA e pela Rússia. Com os tratados SALT I e II, milhares de armamentos foram destruídos, o que continuou com os tratados START I e II do início da década de 1990. (Obviamente, houve problemas com a implementação e ratificação dos desígnios dos tratados. Os números exatos permanecem obscuros.) Em 2011, o Tratado Novo START (New START Treaty) foi ratificado, forçando a redução pela metade dos lançadores ainda ativos de mísseis nucleares. Como resultado, o número de armas viáveis caiu. O que não significa que não continue absurdamente alto. Em particular, o tratado não regula milhares de armas nucleares ainda estocadas pela Rússia e pelos EUA. Ou seja, o risco de destruição total continua tão real hoje quanto nos anos 1960.

O armazenamento e disponibilidade de milhares de armas nucleares não é o único aspecto dessa questão. Temos, também, que adicionar a ameaça do terrorismo nuclear. Em seu livro, Perry imagina um cenário onde terroristas constroem um armamento nuclear de pequeno porte e explodem a Casa Branca e o Congresso, matando 80 mil pessoas e causando um completo caos social. Também não é difícil imaginar um conflito nuclear entre a Índia e o Paquistão, com consequências globais devastadoras. É importante lembrar que detonações nucleares têm efeitos que reverberam pela atmosfera, sendo transportados a centenas ou mesmo milhares de quilômetros de distância do ponto de detonação. Não existe um local "seguro" ou isolado, e o Brasil não está magicamente isento.

Para muitos, o conflito nuclear pode parecer uma preocupação distante. Afinal, temos problemas mais imediatos, que já nos ocupam bastante. Nas décadas de 1950 e 1960, as escolas no hemisfério norte ensaiavam regularmente com os alunos o que fazer no caso de uma guerra nuclear. Hoje, já não fazem mais, como se o problema tivesse desaparecido. Mas a ameaça continua, e é palpável. De certa forma, é ainda maior do que no passado, dado o nível de instabilidade política global e o poder de grupos terroristas extremos, que já demonstraram seu completo desprezo pela vida humana. Existe, também, a possibilidade do uso de armas nucleares por um líder instável, conforme a menção de Hillary Clinton acima. Por exemplo, a Coreia do Norte. O que Hitler não pôde fazer, outros poderão.

Apenas um esforço global para desmantelar o arsenal nuclear mundial supervisionado por um conglomerado de países poderia ter alguma chance de ser efetivo. Materiais nucleares seriam neutralizados e mecanismos explosivos destruídos. Talvez esse tipo de iniciativa seja impossível, o sonho dos inocentes. Como na Caixa de Pandora, uma vez que os males escapam, não voltam mais para dentro. Por outro lado, dada a realidade da ameaça, esforços cada vez mais amplos são uma necessidade para diminuir o risco de um holocausto nuclear. Fazer nada é uma opção um tanto suicida.

É irônico pensar que o mesmo físico que implementou uma reação em cadeia nuclear no laboratório, Enrico Fermi, inventou, também, o chamado Paradoxo de Fermi, sobre a possibilidade de inteligências extraterrestres. (Veja ensaios na Parte II.) Fermi imaginou que, considerando a idade da nossa galáxia (10 bilhões de anos) e seu diâmetro (100 mil anos-luz), inteligências extraterrestres teriam tido tempo de sobra para colonizar a galáxia por inteiro. Obviamente, não o fizeram. Onde estão eles? Uma das respostas possíveis ao paradoxo é assustadora: qualquer civilização capaz de construir armas nucleares eventualmente se autodestruirá. Os ETS não vieram aqui porque se aniquilaram antes disso. Dado o quadro geopolítico global, resta esperar que essa sugestão especulativa sirva de aviso para a humanidade e seu futuro coletivo.

# Predação planetária

No dia 14 de fevereiro de 1990, a sonda espacial Voyager I tirou uma fotografia do planeta Terra de uma distância recorde de 6 bilhões de quilômetros, cerca de quarenta vezes e meia a distância entre o Sol e a Terra. Essa é a distância aproximada até Plutão. Na foto, nosso planeta mal preenche um pixel, um "pálido ponto azul" contra a vasta imensidão do espaço. A ideia da foto foi do astrônomo e divulgador de ciência Carl Sagan, que convenceu os técnicos da NASA a girar a sonda, reorientando-a para que tirasse uma última foto da Terra. Num pronunciamento público no dia 13 de outubro de 1994, proferido na Universidade de Cornell, onde lecionava, Sagan refletiu sobre o significado da imagem: "Ela deveria inspirar mais compaixão e bondade nas nossas relações, mais responsabilidade na preservação desse precioso pálido ponto azul, nossa casa, a única que temos."

Quando medido contra as distâncias cósmicas, e considerando a enorme quantidade de mundos espalhados pelo vazio do espaço sideral, esse pequeno planeta é insignificante, apenas mais um entre trilhões de outros. Por outro lado, essa esfera girando em torno do Sol é tudo o que temos. Aqui vivemos, e é aqui que continuaremos a viver por muitas gerações. "Nessa vastidão, não temos qualquer indicação de que existe alguém para nos salvar de nós mesmos", disse Sagan. "A responsabilidade do que ocorre aqui é inteiramente nossa."

A imagem de nossa casa cósmica ocupando um mero pixel flutuando em meio ao nada elucida sua fragilidade. A Terra é um planeta finito, com recursos limitados. Indiferente e ignorante disso, nos últimos noventa anos a população mundial cresceu de 2 para 7 bilhões e meio de habitantes. (Os interessados podem consultar o *relógio da população mundial*, que calcula o valor aproximado da população em tempo real: http://www.worldometers. info/world-population/.) Em outubro de 2011, o Fundo Populacional das Nações Unidas projetou que a população chegará a 8 bilhões em 2025. A taxa de crescimento da população mundial vem desacelerando, mas os números são assustadores e continuarão a crescer, mesmo que mais lentamente do que no passado.

No final do século XVIII, o inglês Thomas Malthus argumentou que a taxa de crescimento da população era incompatível com a capacidade de o nosso planeta prover a subsistência necessária a tanta gente: "O poder da população é tão superior ao poder da Terra de prover sustento ao homem que a morte prematura deverá, de alguma forma, visitar a espécie humana", escreveu. Em sua previsão um tanto sombria, Malthus não considerou a habilidade que temos, demonstrada inúmeras vezes no decorrer da história, para resolver nossos problemas de natureza tecnológica através da implementação de ideias científicas na prática, no caso, a otimização e mecanização das técnicas utilizadas na agricultura, responsáveis por um aumento pronunciado da produção alimentícia nos últimos 150 anos.

Por outro lado, o fato é que a Terra tem apenas uma quantidade finita de terra arável, cerca de 31 milhões de quilômetros quadrados. (Mesmo que o planeta tenha em torno de 150 milhões de quilômetros quadrados de terra firme — aproximadamente 29% de sua superfície total —, temos que descontar regiões montanhosas de grande altitude, desertos, regiões pantanosas e outras áreas não irrigáveis ou utilizáveis para fins agrários.) Em 2013, apenas 14 milhões de quilômetros quadrados eram considerados aráveis, cerca de 10% do total.

Considerando a taxa de produção agrária atual, essa quantidade de terra arável pode produzir em torno de 2 bilhões de toneladas de grãos por ano. Isso é comida suficiente para alimentar cerca de 10 bilhões de vegetarianos, mas apenas cerca de 2 bilhões e meio de onívoros. A diferença de 75% vem da quantidade imensa de grãos necessários para sustentar o gado e as aves consumidos pela população mundial. Desses números, vemos que uma população vegetariana é bem mais sustentável globalmente do que uma população carnívora.

A estimativa acima faz duas suposições essenciais: primeiro, que o abastecimento de água continuará ocorrendo ao nível atual, isto é, que não haverá secas prolongadas, ataques terroristas que comprometam a qualidade da água em grandes reservatórios, ou conflitos sociopolíticos decorrentes do desvio de rios para irrigação. Segundo, que o aquecimento global, resultado de mudanças climáticas exacerbadas, não irá interferir na quantidade de terra arável ou na produção agrícola mundial. O aumento da temperatura do planeta é um fator essencial aqui, pois impacta não apenas a área da superfície terrestre que é arável, como, também, a possível perda de regiões costeiras e fluviais extremamente férteis decorrente da subida do nível do mar e das águas em geral.

Outra séria consequência do aquecimento global é o deslocamento em massa de populações costeiras para o interior, criando não só uma perda de mão de obra local como, também, enormes pressões socioeconômicas nas regiões longe da costa. Imagine como a população de São Paulo reagiria à invasão de 2 ou 3 milhões de cariocas.

As estimativas acima são necessariamente aproximadas, e supõem a continuidade da estabilidade geopolítica mundial. Por exemplo, escrevi acima sobre a possibilidade concreta de conflitos termonucleares globais e locais, que teriam consequências absolutamente devastadoras, não só em termos de mortalidade humana e animal como, também, devido ao comprometimento do solo pela radiação. Mesmo assim, os argumentos acima mostram que, a menos que cientistas consigam alterar radicalmente os níveis de produção agrícola (provavelmente através do desenvolvimento de soluções baseadas em alimentos geneticamente modificados, tópico que atrai ceticismo e mesmo uma rejeição *a priori* injustificada cientificamente), uma estimativa razoável para a população total que nosso planeta pode sustentar gira em torno dos 10 bilhões.

De acordo com o Fundo Populacional das Nações Unidas, esse número será atingido em 2083.

Mesmo considerando as incertezas nas estimativas, me parece claro que estamos marchando resolutamente em direção a um ponto de saturação, em que nossas práticas de extração e de exploração do solo e a demanda de uma população crescente e com afluência maior irá exaurir os recursos planetários. A fé cega na ciência e na criação de soluções tecnológicas é uma posição perigosa, dado que é impossível basear o sucesso futuro no sucesso passado: a ciência e suas aplicações práticas não avançam linearmente ou de forma previsível, mesmo supondo que o fomento à pesquisa continuará inalterado tanto em nível governamental quanto privado.

Existem algumas medidas que podem ser tomadas para atenuar a pressão inexorável de uma população cada vez maior e com maiores demandas sobre o ecossistema global. Iniciativas educacionais devem ser instituídas de modo a educar um número cada vez maior de pessoas sobre os perigos de um crescimento populacional desmedido. Entre elas, deve ser incluído o acesso fácil e pouco oneroso aos contraceptivos, sobrepujando barreiras culturais e religiosas; o consumo desmedido da carne, base da alimentação de bilhões de habitantes, precisa ser redirecionado a uma dieta orientada ao consumo maior de frutas e vegetais; fontes de energia renováveis precisam tornar-se economicamente viáveis de modo a atrair um número maior de usuários na população e nas empresas e órgãos governamentais; uma nova ética planetária baseada na sustentabilidade global deve ser incluída no currículo escolar e fazer parte da ética corporativa. Toda criança precisa ser educada a respeito do planeta onde vive e toda empresa precisa agir de acordo com parâmetros que reflitam a realidade global em que vivemos.

Cada um desses passos gera sérias controvérsias, e é debatido arduamente pelos diversos grupos de interesse, de órgãos governamentais a lideranças religiosas e comunitárias. Com frequência, são rotulados como parte de uma agenda política liberal. Me parece que essa atitude tradicionalista é profundamente equivocada e, em grande parte, responsável pela situação atual. Educar a população sobre os perigos de um crescimento populacional desenfreado (que, como sabemos, afeta com frequência regiões já extremamente pobres), ou sobre o que comemos e de onde vem essa comida, ou sobre a necessidade urgente de protegermos o meio ambiente e, de modo mais geral, nosso planeta, para o benefício mútuo da população mundial e de todas as outras criaturas que dividem esse espaço conosco, deveria suplantar as divisões políticas que impedem uma mudança profunda na nossa atitude com relação ao planeta.

Deveríamos considerar essa nova atitude como uma extensão direta — do humano a qualquer forma de vida e ao planeta como um todo — da regra ética mais essencial que temos: *trate todas as formas de vida como quer ser tratado; trate do planeta como quer que sua casa seja tratada*. Por quê? Muito simples. Esse pálido ponto azul é a única casa que temos e que teremos por um longo tempo. A Terra existiu e continuaria a existir por bilhões de anos sem a gente. Por outro lado, nós não podemos existir sem ela.

# Tribalismo

No dia 23 de março de 1998, em San Diego, na Califórnia, 39 membros da seita Portão do Céu ("Heaven's Gate") se suicidaram voluntariamente, bebendo uma mistura de vodca com fenobarbital. Os corpos foram encontrados em suas camas na casa onde se reuniam, todos vestidos identicamente com blusa preta e calças de ginástica, um pano violeta cobrindo seus rostos. Cada um trazia exatamente US$ 5,75 no bolso e uma fita no braço que dizia "Time de Partida Portão do Céu".

O momento do suicídio coletivo foi decidido pelo líder da seita, um personagem misterioso conhecido por "Do". Sua referência foi o cometa Hale-Bopp, quando atingiu o ponto mais próximo da Terra em sua órbita ao redor do Sol. Os membros da seita Portão do Céu acreditavam na existência de uma civilização extraterrestre muito superior à nossa tanto tecnológica quanto espiritualmente. Ao avistar um ponto de luz que podia ser visto através da cauda translúcida do cometa, Do e seus seguidores concluíram que era a espaçonave dos extraterrestres, que viera recolhê-los na Terra para transportá-los a um plano de existência puramente espiritual, livre dos limites corpóreos. Astrônomos que estudavam o cometa identificaram o "misterioso" ponto de luz como sendo uma estrela conhecida como SAO 141894. Infelizmente, Do e seus discípulos já estavam mortos.

No decorrer da história, não faltam exemplos de seitas apocalípticas cujos membros optam pela morte. Algumas delas são pacíficas, como no caso da Portão do Céu, enquanto outras são extremamente agressivas, especialmente aos "outros", aqueles que não "pertencem". (No livro *O fim da Terra e do Céu*, ofereço uma breve história das seitas apocalípticas.)

"Pertencer" é o conceito-chave aqui, tendo origem no nosso passado tribal, quando grupos de caçadores-catadores lutavam para sobreviver em condições austeras, provocadas tanto por desafios ambientais quanto por disputas intertribais. Pertencer a uma tribo garantia proteção contra agressores externos, animais ou humanos, ajudando à sobrevivência do grupo. A afiliação tribal fornecia, também, um senso imediato de identidade, gerando uma ideologia de exclusividade: "Pertenço a um grupo, a uma comunidade, cujos integrantes têm os mesmos valores que eu. Juntos, somos mais fortes; eu sou mais forte. Aqueles que não fazem parte do meu grupo, que não compartilham dos mesmos valores, são uma ameaça. São nossos inimigos. Se não os destruirmos, seremos destruídos por eles. Portanto, devemos a todo custo tentar convertê-los aos nossos valores. Se essa estratégia de conversão falhar, só nos resta destruí-los."

Existem diversas modalidades de tribalismo. Apenas as tribos mais extremas adotam essa lógica binária de considerar os que não pertencem como sendo inimigos, e apenas as mais violentas entre estas optam por destruir seus oponentes. A maior parte das tribos se beneficia de outras, interagindo e colaborando entre si para atingir seus objetivos, sejam eles positivos ou negativos. Por exemplo, em alianças militares para combater um inimigo comum ou em trocas culturais ou econômicas.

Em seu livro *Tribo*, o jornalista americano Sebastian Junger defende a importância desses valores, que considera essenciais para cimentar relações sociais, citando a "destribalização" da vida moderna como sendo a causa principal da crise política e social em que vivemos. Junger usa o exemplo de soldados, integrantes da tribo "exército" ou mesmo apenas de seu pelotão de combate, cuja vida depende da interação positiva com os outros, da sua proteção e aliança mútua: eu protejo sua vida e você a minha. Ao retornarem para casa, tentando retomar a rotina do dia a dia, esses indivíduos se sentem perdidos, isolados, longe da tribo que lhes foi tão essencial num período dramático de suas vidas. Sob esse prisma, Junger conclui que o tribalismo teve e tem um papel essencial na sociedade, funcionando como uma espécie de amálgama.

Por outro lado, levado ao extremo, o tribalismo é uma força divisora, preconceituosa, combativa e, como cansamos de ver nas notícias diárias, extremamente perigosa e destruidora.

O antropólogo Scott Atran, diretor do Instituto Jean Nicod em Paris e professor da Universidade de Michigan em Ann Arbor, vem estudando há anos os movimentos islâmicos radicais. Em particular, Atran tenta entender o que leva inúmeros jovens de natureza pacífica e não religiosa a deixar seus países, famílias e amigos para se filiar a organizações violentas como o Estado Islâmico (ISIS). Os argumentos de Atran são semelhantes aos que apontamos acima, justificando a atração que o radicalismo tribal exerce em tanta gente: são jovens que se sentem perdidos num mundo cada vez mais impessoal, destituídos de uma missão que os motive. Juntam-se ao ISIS e a outros movimentos extremos em busca de uma identidade, de uma tribo que lhes dê um senso de comunidade e de propósito, dividido com outros em situação semelhante. O extremismo oferece uma solução a um intenso desespero pessoal.

"A ascensão do Estado Islâmico como movimento revolucionário tem, hoje, uma dimensão histórica. Muitos de seus membros agem movidos por uma fé apocalíptica, acreditando que para salvar o mundo devem antes destruí-lo", disse Atran ao jornalista Bruce Bower da publicação americana *Science News*. Não existe espaço para o compromisso com o "outro", tamanha a incompatibilidade de valores. O preço alto, muitas vezes a vida como soldado ou como suicida, é visto como parte de uma missão que transpõe essa existência, dada a crença numa outra, atemporal, num paraíso prometido aos mártires.

Na sua maioria, o comportamento tribal mais extremo é capitalizado por ameaças aos valores que o grupo considera como sendo sagrados — verdadeiras ou percebidas pela liderança do grupo como sendo verdadeiras. "Sagrado", aqui, não significa necessariamente um valor de cunho religioso. Segundo Atran, "valores seculares sagrados", aqueles que não são religiosos, mas que fazem parte da identificação mais essencial do grupo, também têm um papel essencial. Por exemplo, noções políticas ou éticas como "direitos humanos", que mobilizam a ação de grupos muitas vezes seculares, ou ideologias que tentam salvar a "humanidade" através de movimentos políticos revolucionários, como o socialismo radical, o anarquismo, o comunismo, o fascismo etc.

Fundamentalmente, toda tribo se organiza em torno de um sistema ou código de valores. A partir dele, emergem duas funções primárias para seus membros: a proteção desses valores e sua difusão para os "outros", os integrantes de outras tribos.

Podemos identificar aqui o que chamo de *paradoxo tribal*, visto que nós, seres humanos, temos uma necessidade inerente de pertencer a um ou mais grupos. Somos animais sociais, e fazer parte de um grupo com o qual nos identificamos é essencial para uma vida emocional sadia. O eremita é uma anomalia social: escolher o isolamento social é uma forma de agressão, de rejeição.

Passamos a vida buscando tribos diferentes, com as quais nos identificamos melhor, desde o grupinho de amigos na escola ou no parquinho, ou a torcida de times, com caras pintadas e vestindo orgulhosamente a camisa do clube, ou a proliferação de igrejas, seguindo esse ou aquele pastor. Muitas vezes, a adesão e dedicação às tribos acabam por provocar comportamentos extremos, que incitam a violência. No Brasil, vemos isso no futebol, por exemplo, em que o torcedor do "outro" clube é visto no mínimo com suspeita, e em geral com desprezo. Como o fulano pode ter um sistema de valores aceitável se escolhe torcer por outro time? Exemplos de torcedores em conflitos violentos não faltam. Ou veja a polarização extrema nas eleições presidenciais recentes, seja no Brasil ou nos EUA. Tribos diferentes, com sistemas de valores diferentes, disputando o poder, o território abstrato da política.

O tribalismo é inseparável da dinâmica social. Seria ingênuo imaginar que podemos escapar dele. Precisamos dessa adesão; adoramos nossas tribos; criticamos, ou mesmo odiamos, outras. No entanto, o que leva ao comportamento tribal extremo é algo diverso. Esse tipo de comportamento destrutivo vem de um senso radicalizado de "pertencimento", de uma adesão cega a um objetivo central que impede a percepção do "outro". O comportamento extremo olha apenas para si mesmo. Intolerante, não tem espaço para crescer, para olhar e aprender com o que existe fora. Pelo contrário, o que existe fora é imediatamente taxado como sendo uma ameaça à sobrevivência do grupo, não muito diferente das tribos de caçadores-pegadores que disputavam territórios 20 ou 30 mil anos atrás. A necessidade de pertencimento se sobrepõe a qualquer possibilidade de abertura, a qualquer outro sistema de valores. No tribalismo extremo, a devoção à causa está até mesmo acima do direito à vida, o sacrifício do indivíduo, como nas formigas, visto como bem comum. Os líderes se alimentam da devoção de seus discípulos, enquanto os discípulos se alimentam da devoção de seu líder e da causa que ele ou ela representa.

Após milênios de civilização agrária, continuamos moralmente nas cavernas, muitos de nós cegos pelo tribalismo radical. O budismo, uma tribo decididamente não radical, prega o desapego, visto como o caminho para a paz pessoal, insistindo que a fonte de nossas ansiedades é o nosso apego extremo a valores, a bens, a pessoas. Essa é uma lição decididamente difícil de ser digerida, atabalhoados que somos numa vida corrida, cheia de compromissos e relações. Por outro lado, se redirecionarmos esse convite ao desapego a uma abertura ao outro, a outros valores, não apenas como tolerância, mas como uma curiosidade de aprender com outras visões de mundo, criamos a oportunidade de ao menos iniciar o processo de cura.

Podemos nos comprometer a objetivos sem radicalizá-los, podemos nos filiar a grupos sem demonizar outros. Podemos seguir sistemas de valores sem a exclusão daqueles que preferem seguir outros. Corinthians e Flamengo, esquerda e direita, muçulmanos e judeus, jogamos todos no mesmo campo.

# O futuro que ninguém quer ver

Como as pessoas reagem quando algo terrível pode acontecer? Tudo depende de quando. Se for num futuro muito distante, ninguém dá muita bola. Por exemplo, se eu disser que, em 5 bilhões de anos, o Sol vai expandir feito um balão, engolindo Mercúrio e Vênus e inflando até quase a órbita da Terra, as pessoas vão achar interessante, mas só isso, mesmo que esse cataclismo marque o fim do nosso planeta e da vida aqui. O que sobrar, se sobrar, será um amontoado de rochas e cinzas.

E se eu disser que mudanças no Sol vão afetar a vida na Terra bem antes disso, em menos de um bilhão de anos? Um bilhão de anos? É um tempo que não compreendemos, diria a maioria.

Tudo bem. Mas e se eu trouxer esse relógio apocalíptico mais para perto? Qual é o intervalo de tempo que começa a surtir efeito, despertando medo nas pessoas? Um milhão de anos? Muito longe. Dez mil anos? Também. Mil anos? Ainda muito distante. Cem anos? Aqui a coisa começa a ficar incômoda. Setenta anos? Passa a estar dentro da longevidade da maioria das crianças que hoje têm 10 anos.

Se o mundo, como existe hoje, deixar de existir em setenta anos, as pessoas deveriam prestar atenção. Tenho um filho de 13 e outro de 7, e três já adultos. Quero deixar um mundo melhor para eles. Esse deveria ser o legado da nossa geração. Infelizmente, estamos falhando, e os que negam isso o fazem sabendo que não precisarão arcar com as consequências de suas escolhas.

Setenta anos nos aproximam do fim deste século, quando modelos de mudança climática preveem cenários terríveis. Costumamos focar no nível dos oceanos e na migração forçada de milhões de pessoas para o interior. Rio, Recife, Fortaleza, Nova York, Bangladesh: para onde essas pessoas irão, com suas cidades parcialmente submersas? Como vão se alimentar, encontrar abrigo? O que estamos fazendo, nós e os governos, para nos preparar?

Em 2017, um iceberg com metade do tamanho de Sergipe se soltou da placa continental da Antártica chamada Larsen C.* Embora seja difícil atribuir um único evento ao aquecimento global — modelos climáticos fazem previsões estatísticas e não exatas de quando algo vai ocorrer —, o efeito desse evento e de outros nas placas Larsen A e B marcam uma mudança radical na Antártica; mapas terão que ser redesenhados.

Mesmo que filmes sobre distopias como *Mad Max* e *Jogos Vorazes* pintem quadros terríveis sobre o futuro, poucos contemplam seriamente a possibilidade de que essas ficções possam virar realidade. A menos, claro, que a situação mude radicalmente, e a sobrevivência de milhões seja ameaçada. Nossa tendência é reagir sob pressão, e não preventivamente. Infelizmente, com o clima, uma reação tardia pouco fará para reverter as coisas.

Em seus relatórios periódicos, cientistas do Painel Intergovernamental sobre Mudanças Climáticas (IPCC) vêm soando o alarme cada vez mais alto. Os modelos mostram que a temperatura irá flutuar cada vez mais, com uma tendência definitiva em direção ao aquecimento. Ondas de calor impactam a produção agrícola, que, no Brasil, é essencial para a estabilidade econômica. As doenças se proliferam e afetam mais intensamente os menos privilegiados. A onda de calor de 2003 matou 35 mil pessoas na Europa, 2 mil por dia.** O jornalista americano David Wallace-Wells entrevistou

---

\* Veja o vídeo aqui: <http://nymag.com/daily/intelligencer/2017/07/trillion-ton-iceberg-breaks-off-antarctic-ice-shelf.html>.
\*\* Shaoni Bhattacharya. European Heatwave Caused 35,000 Deaths. *New Scientist*, 10 out. 2003. Disponível em: <https://www.newscientist.com/article/dn4259-european-heatwave-caused-35000-deaths/>.

vários cientistas que dedicaram suas carreiras a esse assunto: "Nenhum programa de controle de emissões pode prevenir o desastre climático."* Esse é um trem descarrilado.

A lista de horrores é longa. A fome levará a migrações de centenas de milhões. O derretimento do gelo no Ártico liberará enormes quantidades do gás metano na atmosfera, atingindo 34 vezes a quantidade atual de dióxido de carbono até o final do século. Doenças soterradas há milênios sob o gelo começarão a se espalhar pelo mundo. O excesso de dióxido de carbono aumentará cada vez mais a acidificação dos oceanos, destruindo corais e um quarto da vida marinha, que hoje alimenta 500 milhões de pessoas. O caos criará instabilidades sociais, violência e crimes.

Muitos acham que a ciência encontrará soluções para a crise. Mas essa é uma aposta muito arriscada, que não podemos perder. Até o momento, não vejo que tipo de solução será efetiva numa escala global. *O que precisamos é de uma mudança radical de mentalidade, em nível individual, governamental e corporativo.* Precisamos de uma nova ética planetária, baseada numa relação moral com o planeta, para garantir o futuro das novas gerações. As pessoas não estão tendo medo suficiente do futuro. E precisam, não só ter medo como começar a agir, individualmente, para mudar como vivem e como comem.

Talvez seja a nova geração, a das crianças que hoje têm dez anos, que irá finalmente compreender a dimensão do problema e fazer algo sério a respeito, dado que a nossa geração só piorou as coisas. Que vergonha ter que dizer isso aos meus filhos.

---

\* David Wallace-Wells. *The Uninhabitable Earth: Life After Warming*. Nova York: Tim Duggan Books, 2019.

# Quando a Natureza nos ensina a sermos mais humanos

Todo mundo já teve alguma experiência assustadora com o clima: uma tempestade devastadora, rios em cheia, desabamentos, ressacas violentas... No Brasil, até que temos sorte, já que não precisamos nos preocupar com terremotos, furacões ou vulcões. Mesmo assim, por experiência própria ou por notícias de outros países, cansamos de ver que, quando a Natureza resolve demonstrar seus poderes, nossos recursos e ingenuidade, mesmo que úteis, raramente são suficientes. Claro, estamos longe da situação precária de nossos ancestrais das cavernas, estes sim completamente à mercê dos elementos. Mas é só chegar a tempestade, o furacão, o maremoto, o terremoto ou a erupção vulcânica para nos sentirmos como formigas pisoteadas por uma criança de 3 anos.

A ordem natural obedece a uma hierarquia rígida, e quem acha que estamos no seu ápice comete um grave erro.

Seres humanos são produto de circunstâncias específicas, que combinam a aleatoriedade das mutações genéticas e o ambiente em que nossos antepassados evoluíram. Após milhões de anos, uma série de transformações em nossos primos hominídeos acabaram por gerar a nossa espécie, não muito mais do que cerca de 200 mil anos atrás. O que é praticamente nada, quando comparados aos 4,5 bilhões de anos da Terra. Em termos de

172 MARCELO GLEISER

história planetária, acabamos de chegar. A operação dos nossos sentidos (por exemplo, nossos olhos, que enxergam do vermelho ao violeta e não radiação infravermelha ou ondas de rádio), nossos músculos e ossos, a funcionalidade dos nossos corpos são otimizados para este planeta, dentro de condições climáticas que, apesar de flutuações de temperatura, não mudaram tanto nos últimos 20 mil anos. Casacos e aparelhos de ar--condicionado ajudam, mas têm seus limites.

Se saímos do nosso ambiente normal, logo nos deparamos com sérias limitações. Basta subir uma montanha de mais de 2.500 metros para ver como fica difícil respirar. No topo do Monte Everest, nossa funcionalidade metabólica cai para 30%. Ondas de calor ou frio afetam nosso comportamento e podem ser fatais. Não temos pelos espessos ou grandes reservas de gordura, nem chifres, garras e dentes afiados, ferrões venenosos ou um exoesqueleto para nos proteger. Nossas vantagens evolucionárias são outras: a oposição do polegar, glândulas que nos permitem suar (e, portanto, correr por muito tempo) e um córtex frontal de tamanho desproporcional ao volume do nosso cérebro. Graças a essas vantagens, conseguimos transformar o planeta, ou, ao menos, parte de sua superfície e atmosfera. Infelizmente, nossos pequenos sucessos em adaptabilidade e controle da Natureza nos cegaram, criando a ilusão de que podemos dominar o planeta que habitamos com impunidade.

No entanto, basta ocorrer um desastre natural para nos remeter às nossas condições primordiais: sem abrigo, eletricidade, comida ou água potável, uma longa lista de confortos da vida moderna, que achamos que estarão sempre aqui para nós, acessíveis. E agora? Nessas situações, doenças se espalham com facilidade e temos poucas estratégias para nos proteger ou nos medicar. O que podemos — e devemos — fazer é criar um espírito de cooperação mútua para nos reagrupar e reconstruir, usando recursos disponíveis para restabelecer um senso de comunidade. Como sabemos bem, existirão sempre aqueles que usarão o caos da situação para se beneficiar individualmente, sem qualquer preocupação com os que estão ao lado. (Infelizmente, essas pessoas existem mesmo sem crises naturais.) Por outro lado, é, também, nesse tipo de situação, quando atingimos o fundo do poço, que o que temos de melhor vem à tona, indivíduos que se transformam em heróis, muitas vezes arriscando suas vidas por pessoas que nem conhecem. Nessa hora, a Natureza nos dá uma lição de vida, e somos obrigados a resgatar nossa humanidade, quando a sobrevivência do grupo é mais importante do que a do indivíduo, e o espírito social triunfa sobre a ganância pessoal.

Nas próximas décadas, à medida que o aquecimento global mudar cada vez mais o planeta, vivenciaremos eventos climáticos com severidade crescente, no Brasil e no resto do mundo. Essas crises irão desafiar nossa capacidade de se adaptar a condições ambientais extremas. Se iremos ou não sobrepujá-las, dependerá, em grande parte, da habilidade que temos de preservar o nosso senso de comunidade e de resgatar nossas melhores qualidades, passando por cima das tantas diferenças culturais que nos separam. Os testes serão difíceis, especialmente hoje, quando nosso equilíbrio social é já precário. Sendo um otimista, acredito que, quando as várias crises futuras desafiarem a nossa sobrevivência, teremos mais heróis do que oportunistas definindo nosso futuro.

# Quando o Estado naufraga, a ciência é a âncora

"Quando a tempestade irrompe em fúria e o Estado ameaça naufragar, só nos resta lançar a âncora de nossos estudos nas profundezas da eternidade."

Assim escreveu o grande astrônomo alemão Johannes Kepler no início do século XVII, quando a Europa passava por terríveis conflitos entre católicos e protestantes, as disputas que culminariam na devastadora Guerra dos Trinta Anos em 1618. O Estado a que Kepler se referia, o Sacro Império Romano-Germânico com sede em Praga, naufragava sob o comando caótico do imperador Rodolfo II, mentalmente instável. Nos bastidores da corte e pelos centros urbanos, diferentes facções religiosas disputavam o poder. As instituições colapsavam, e ninguém confiava em ninguém.

Na Itália, a Igreja intensificava a repressão ideológica na luta contra a Reforma Protestante. Em 1616, Galileu Galilei foi caucionado pelo cardeal Bellarmine, mestre das questões controversas do Colégio Romano, que o desafiou a provar de forma convincente que a Terra gira em torno do Sol ou calar-se por completo.

Embora Kepler e Galileu temessem por suas vidas, não renunciaram à liberdade de cogitar sobre os mecanismos do mundo natural. Ignorando a repressão, avançaram suas pesquisas, que culminaram, ainda no mesmo século, no abandono das ideias de Aristóteles, que haviam dominado o pensamento ocidental e eclesiástico por dezoito séculos. A coragem intelectual deles abriu as portas para o mundo moderno.

A repressão religiosa e as guerras passam, mas o conhecimento científico permanece.

Não vivemos no século XVII, mas seria inocente — especialmente dada a atitude do governo atual — achar que a ciência e sua credibilidade não estão sendo atacadas. Vemos isso todos os dias, quando muitos políticos e amadores criticam, sem a menor autoridade ou conhecimento, as conclusões de milhares de cientistas em assuntos que vão da validade das vacinas ao aquecimento global. Não acredito que tenhamos um único cientista no Congresso ou no Senado Federal. Nos EUA, a situação não é muito diferente.

É paradoxal e trágico que isto esteja ocorrendo em pleno século XXI, quando dependemos tão diretamente das tecnologias resultantes da aplicação da pesquisa em ciência básica. O vídeo *SOS Ciência*, produzido por cientistas brasileiros, é extremamente importante e deveria ser visto por todos.* Sem a ciência brasileira, não existe a agricultura de ponta que transformou o Brasil numa grande potência agropecuária internacional, fornecendo alimentação para centenas de milhões de pessoas. Sem a ciência brasileira, não existem carros movidos a álcool ou gás natural, com flexibilidade no uso do combustível. Sem a ciência brasileira, não temos liderança na exploração de águas profundas, ou no controle e erradicação de várias doenças tropicais. Como então, me pergunto, nos encontramos na situação absurda de termos governos que parecem declarar guerra ao conhecimento científico?

Essa é uma questão crucial, que pertence a todos nós, e não só aos cientistas. Existe um abismo imenso entre o mundo da ciência e o mundo da política. A maioria dos líderes políticos pouco sabem sobre ciência (com louváveis exceções) e não parecem ter o menor interesse pelo assunto. Tendo ensinado ciência numa universidade por 27 anos, vejo uma divisão clara entre os alunos que gostam ou não de matemática e de ciências. Existem, como disse, exceções importantes, mas tirando os alunos inte-

---

\* Disponível em: <https://www.youtube.com/watch?v=g2873J5t4pw>.

ressados em legislação de patentes ou ambiental, a maioria que decide cursar advocacia e seguir carreira política não é composta de interessados nas disciplinas CTEM (Ciência, Tecnologia, Engenharia, Matemática). Seria interessante ter um estudo quantitativo para saber como esse déficit afeta posições políticas relacionadas à ciência e sua importância, especialmente quando o governo atua sem uma consultoria científica.

O resultado é que, sob a pressão de grupos de interesse diversos, questões de natureza científica viram assuntos "abertos ao debate público": pessoas que pouco sabem sobre o uso da metodologia científica utilizada para se chegar a certa conclusão se acham no direito de opinar e criticar, baseadas em... Baseadas em quê, exatamente? Informações incompletas e propaganda de grupos de interesse que manipulam a opinião pública para servir aos seus propósitos, em geral para garantir os ganhos de seus investidores.

Com isso, a ciência e seus resultados — obtidos após anos de trabalho meticuloso realizado por profissionais treinados — se transformam em mera opinião, como se fossem futebol, moda ou filmes. É como se o cirurgião virasse advogado e o juiz virasse engenheiro.

As pessoas tendem a confundir o processo de como a ciência é feita — por meio de autocorreção e constante melhora de resultados — com imprecisão e incerteza. Este é um erro grave. A ciência avança em estágios, mas avança, e vemos os resultados disso por toda parte. Basta comparar a qualidade das TVs ou dos computadores de dez anos atrás com os de hoje. Celulares? GPSs? TVs de ultradefinição? Bluetooth? De onde vieram essas invenções e tecnologias? Quem são esses inventores? Certamente, não os políticos que querem cortar o orçamento da ciência. Eles apenas usam os frutos da pesquisa, aparentemente achando que surgem do nada, como se fosse mágica.

Kepler viu o Estado colapsar à sua volta, e pouco pôde fazer a respeito. Não podia pegar uma espada para lutar, pois não era um herói dos campos de batalha e sim do mundo das ideias. O que ele e Galileu fizeram foi olhar para os céus, buscando verdades eternas, além da fragilidade e confusão dos homens. O que fizeram permanece vivo, enquanto as guerras e repressões ideológicas ficaram no passado.

Penso nas crianças e jovens espalhados pelo Brasil, nos potenciais Galileus e Keplers, que não terão a oportunidade de expandir seus horizontes, que viverão num país onde a carreira científica será cada vez mais vista como um tabu, como uma opção profissional inviável. É triste ver nosso país tomar esse rumo, controlado por pessoas que parecem não entender as consequências desastrosas de suas ações.

PARTE IV

# O FUTURO DA HUMANIDADE

# O futuro das mentes e das máquinas que pensam

Considere a seguinte situação: você acorda atrasado para o trabalho e, na pressa, esquece o celular em casa. Só quando fica engavetado no tráfego, ou amassado no metrô, é que você se dá conta. E agora é tarde para voltar. Olhando em volta, você vê pessoas com celular em punho conversando, mandando torpedos, surfando na internet. Aos poucos, você vai sendo possuído por uma sensação de perda, de desconexão. Sem o celular, você não é mais você.

A junção do humano com a máquina é conhecida como "transumanismo". Tema de vários livros e de filmes de ficção científica, hoje é um tópico essencial na pesquisa de muitos cientistas e filósofos. A questão que nos interessa aqui é até que ponto essa junção homem-máquina pode ocorrer, e o que isso significa para o futuro da nossa espécie. Será que, ao inventarmos tecnologias que nos permitam ampliar nossas capacidades físicas e mentais, ou mesmo máquinas pensantes, estaremos decretando o nosso próprio fim? Será esse o nosso destino evolucionário, criar uma nova espécie além do humano?

É bom começar distinguindo tecnologias transumanas daquelas que são apenas corretivas, como óculos ou aparelhos de surdez. Tecnologias corretivas não têm como função ampliar nossa capacidade cognitiva:

simplesmente regularizam alguma deficiência existente. A diferença ocorre quando uma tecnologia não só corrige uma deficiência como leva seu portador a um novo patamar, além da capacidade normal da espécie humana. Por exemplo, braços robóticos que permitem que uma pessoa levante 300 quilos, ou óculos com lentes que permitem enxergar no infravermelho. No caso de atletas com deficiência física, a questão se torna bem mais controversa: em que ponto uma prótese, como uma perna artificial de fibra de carbono, cria condições além da capacidade humana? Considerando esse caso, será que é justo que esses atletas compitam com humanos sem próteses?

A maioria das pessoas acha que esse tipo de hibridização entre tecnologia e biologia é coisa para um futuro distante. Ledo engano. Como no caso do celular, está acontecendo agora. Estamos redefinindo a espécie humana através da hibridização — na maior parte, ainda externa — com tecnologias que ampliam nossa capacidade. Sem nossos aparelhos digitais — celulares, tablets, laptops —, já não somos os mesmos. Criamos personalidades virtuais, ativas apenas na internet, outros "eus" que interagem em redes sociais com selfies arranjadas para impressionar. Esses eus virtuais são criações remotas, onipresentes. Cientistas e engenheiros usam computadores para ampliar sua capacidade cerebral, enfrentando problemas que, há apenas algumas décadas, eram considerados impossíveis. Como resultado, a cada dia surgem novas questões que, antes, nem podíamos contemplar. O ritmo do progresso científico está diretamente relacionado com nossa aliança a máquinas digitais.

Somos já transumanos.

Aonde isso nos levará? Em livro de 2018, o filósofo sueco Nick Bostrom, professor na Universidade de Oxford, soa o alarme: se criarmos inteligências superiores à nossa, poderemos nos tornar obsoletos. Em *Superinteligência*, Bostrom faz uma analogia entre nós e os gorilas, e entre nós e as inteligências artificiais sobre-humanas: do mesmo modo que a sobrevivência dos gorilas depende da nossa benevolência, se máquinas mais inteligentes e poderosas do que nós existirem, nossa sobrevivência dependerá delas. E o que garante que elas irão nos preservar? É o mito do *Frankenstein* revisitado, criaturas criadas por cientistas ameaçando nossa espécie.

Claro, a premissa aqui é que é possível criar tais máquinas superinteligentes. Nisso, a comunidade científica e filosófica está dividida. De um lado, temos os que acreditam que é apenas uma questão de tempo: do mesmo modo que a Natureza "criou" ao menos uma espécie inteligente (golfinhos, baleias, cachorros e gatos são inteligentes, mas não desenham computadores ou sondas espaciais, ou compõem sinfonias e poesia), não há qualquer empecilho fundamental para que possamos repetir a façanha, criando outras entidades inteligentes. As leis da Natureza, argumentam, não proíbem a construção de inteligências artificiais.

Críticos rebatem que a questão não é tão simples. Primeiro, não sabemos exatamente o que é inteligência. E, se não temos uma definição, fica bem difícil recriá-la artificialmente. Por exemplo, o supercomputador da IBM Deep Blue, que ganhou do campeão mundial de xadrez Garry Kasparov em 1997, não era inteligente. Ao menos não no sentido de ser uma entidade autônoma, capaz de tomar suas próprias decisões. Deep Blue reunia uma velocidade incrível de processamento de informação com um programa altamente sofisticado de seleção de estratégias, escolhendo seus movimentos baseado num processo refinado de otimização. A inteligência de Deep Blue era de seus programadores e não da máquina em si.

Na Europa e nos EUA, duas grandes iniciativas estão tentando criar uma máquina inteligente baseada na desconstrução do cérebro humano. Essencialmente, a ideia é mapear o cérebro em todo detalhe, incluindo cada neurônio, suas ligações sinápticas com outros neurônios (sua "cognitividade"), o fluxo de substâncias neurotransmissoras de neurônio a neurônio, recriando toda essa informação num gigantesco programa de computador, uma simulação do cérebro humano em uma entidade de silicone.

Uma pesquisa sem dúvida fascinante, que leva a uma pergunta essencial: como saber se temos toda a informação relevante para recriar um cérebro humano, o objeto mais complexo do Universo conhecido? Como no famoso conto de Jorge Luis Borges, "Sobre o rigor na ciência", um mapa perfeito, contendo todos os detalhes do original, teria que ser do tamanho do que se propõe a mapear, sendo, portanto, inútil. No caso do mapeamento do cérebro, certamente esse tipo de iniciativa é extremamente importante e válida, e nos trará muita informação valiosa sobre seu funcionamento e estrutura. Mas o objetivo final, a compreensão completa do cérebro humano, me parece um mito. Afinal, sabemos que nossa aferição do que existe é sempre limitada: o que vemos do mundo, mesmo com nossos instrumentos, jamais é tudo o que pode ser visto. Portanto, qualquer simulação de uma entidade real será necessariamente incompleta. No máximo, podemos tentar captar aquilo de mais essencial, recriando um modelo parcial do que existe. Me parece difícil concluir que esse modelo parcial terá funções cognitivas idênticas a um cérebro real. Ainda pior: nem sabemos o que significa entender o cérebro destituído do corpo que o comanda.

Mesmo se programas de computador chegarem a ser inteligentes, sua inteligência não será como a nossa. Será outra coisa, destituída de um corpo. E o que é um humano destituído de um corpo? Impossível contemplar. O que é uma inteligência que não sofre ou sente dor? Até que ponto essas emoções subjetivas podem ser capturadas num programa, numa sequência de instruções? Me parece que esse objetivo — a construção de máquinas autônomas inteligentes — está bem mais distante do que um que já está acontecendo, nossa hibridização com tecnologias que expandem nossas habilidades cognitivas.

No brilhante filme *Ela*, de 2013, um homem se apaixona por um sistema operacional inteligente, capaz de aprender com a informação que recebe. A história é trágica, explorando a solidão humana e como a tecnologia do futuro — na medida em que nos definimos pelas nossas interações com os outros — irá redefinir quem somos. Ao menos no filme, os "outros" poderão não ser mais humanos.

O CALDEIRÃO AZUL     185

Apesar da beleza e da importância do filme, é bom não confundi-lo com a realidade. Como argumentei, é muito possível que a premissa das máquinas inteligentes, ou mais inteligentes do que nós, seja falsa. É bem mais provável que o futuro da inteligência esteja dentro do cérebro humano, e não fora. Nós, ou os nossos híbridos com máquinas, é que nos tornaremos superinteligentes, estendendo nossa capacidade mental por meio da união do biológico com o cibernético. A meu ver, o futuro da inteligência artificial não está nas máquinas, mas na inteligência humana artificialmente ampliada. Não estamos desenhando nosso fim, mas uma nova espécie que transcenderá os limites evolucionários que determinam o funcionamento de nossos cérebros e corpos. Com isso, não devemos temer o futuro da pesquisa em inteligência artificial, mas vê-la como uma oportunidade de emancipação, de crescimento da nossa espécie. Certamente, nossos descendentes serão mais inteligentes e, espero, também mais sábios.

# Passados treze anos, *Uma verdade inconveniente* é mais inconveniente do que nunca

Em 2006, seis anos após ser derrotado (roubado?) na eleição para presidente dos EUA, Al Gore lançou o documentário *Uma verdade inconveniente*. O filme foi manchete no mundo inteiro, venceu dois Oscars, incluindo melhor documentário, e faturou US$ 49 milhões, o sexto documentário mais rentável da história. Sua missão era alertar a população mundial sobre os perigos do aquecimento global, o aumento inexorável da temperatura do nosso planeta devido ao acúmulo de gases poluentes na atmosfera.

Como efeito colateral do sucesso do filme, a questão do aquecimento global, em particular, do papel da humanidade em relação a ele, tornou-se tão ou mais aquecida politicamente do que a atmosfera. Sua mensagem, baseada nos estudos de milhares de cientistas, é ao mesmo tempo simples e preocupante; para alguns, aterrorizante: se nada for feito para atenuar a emissão de gás carbônico e outros gases responsáveis pelo efeito estufa, a temperatura global continuará a subir, as calotas polares irão descongelar radicalmente, o nível dos oceanos se elevará, e os padrões climáticos do planeta sofrerão mudanças profundas, muitas delas devastadoras. Passados treze anos desde o lançamento do filme, e apesar do ceticismo insistente de muitos — que chegam a chamar o aquecimento global de uma farsa dos liberais —, essas verdades continuam a ser absolutamente válidas. O planeta continua aquecendo, e a razão principal é a poluição gerada por gases produzidos pela queima de combustíveis fósseis. Em sua essência, o filme acertou.

Em artigo da revista *Science News*, o jornalista Thomas Sumner reanalisa as previsões do filme, o que mudou nos últimos dez anos, e onde o filme acerta ou erra.* Uso o artigo de Sumner como ponto de partida para traçar comentários sobre essa questão, de urgência global e imediata.

O filme prevê que, em dez anos, as neves de Kilimanjaro não existirão mais. Felizmente, não é o caso, mesmo que o volume das geleiras tenha diminuído criticamente. Talvez o maior equívoco do filme seja sua retórica cataclísmica, atribuindo certos desastres climáticos ao aquecimento global. Por exemplo, o terrível furacão Katrina, que atingiu os EUA em agosto de 2005, matando 1.245 pessoas. Dado que os estudos sobre o aquecimento global são de natureza estatística, é um tanto arriscado atribuir um evento específico ao aumento global de temperatura. O mais correto é observar tendências que vão se acumulando, enquanto mais dados vão sendo coletados. Mesmo assim, o filme acerta bem mais do que erra. É fácil entender o porquê do exagero retórico. O perigo existe e está mudando nosso planeta. Sem fazer barulho, ninguém escuta nada.

Lonnie Thompson, o climatologista mundialmente famoso cujos estudos sobre o degelo acelerado das geleiras andinas foi inspiração para o filme, reafirma sua posição: "Estamos confirmando que a física e a química dos últimos duzentos anos [usadas nas previsões de mudanças climáticas] estão corretas. Aprendemos muito nos últimos [treze] anos, mas o fato é que a rápida mudança climática que presenciamos nos últimos quarenta anos está sendo causada pelo aumento de gás carbônico na atmosfera."

---

\* Thomas Sumner. Changing Climate: 10 Years after *An Inconvenient Truth*. *Science News*, 8 abr. 2016. Disponível em: <https://www.sciencenews.org/article/changing-climate-10-years-after-inconvenient-truth>.

- **Furacões:** Em 2006, a previsão era de que a frequência e a intensidade dos furacões aumentariam devido ao aquecimento dos oceanos. Passados treze anos, a frequência dos furacões caiu um pouco, e sua intensidade não mudou muito. Ainda. Um estudo publicado em 2010 no jornal *Science* prevê que o número de furacões de categoria 4 e 5 (esse é o nível do Katrina) poderá dobrar até 2100, mesmo se o seu número total não aumentar. Ou seja, aumenta a intensidade dos furacões e não o número. Para piorar, com a subida prevista do nível do mar, os furacões penetrarão mais terra adentro, aumentando os danos. Portanto, a ameaça dos furacões é ainda mais séria do que mostrada no filme.
- **Circulação dos oceanos:** em 2006, uma previsão importante afirmava que o degelo nas regiões árticas iria inundar o Atlântico Norte com água doce fria, interrompendo o fluxo de água morna dos trópicos até a Europa. Hoje, não parece que irá ocorrer essa interrupção. Por outro lado, foi detectada uma desaceleração gradual das correntes oceânicas, que impactará principalmente o clima ao longo do Atlântico. Essa desaceleração, sem precedentes nos últimos mil anos, ainda não tem um impacto claro em longo prazo. Ou seja, o prognóstico é potencialmente pior do que o mostrado no filme.
- **Secas e conflito social:** Mesmo que seja arriscado equacionar mudança climática com instabilidade política, o período de 1998 a 2012 foi o mais seco no leste do Mediterrâneo desde 1100. Pessoas com sede e fome precisam achar água e comida. Secas severas interrompem a produção e distribuição de alimentos, causando migrações para áreas urbanas. Essas migrações, por sua vez, causam instabilidade social e crises de refugiados. Alguns comentadores atribuem, ao menos parcialmente, a guerra de Darfur em 2003 e, agora, a guerra na Síria, à escassez de alimentos na região. Previsões recentes indicam o aumento das secas em diversas regiões espalhadas pelo mundo, incluindo partes da África e a Califórnia, que, de 2011 a 2018, atravessou a pior seca desde que dados começaram a ser coletados em 1895. Mais uma vez, a situação é ainda mais grave do que previsto no filme.

- **Gelo no Ártico e Antártica:** em 2006, a previsão era de que o Ártico veria seu primeiro verão sem gelo no mar em cinquenta ou setenta anos. A previsão agora é que isso ocorrerá até 2052, *nove anos antes*. Quando o gelo — que reflete o sol — derrete, os oceanos escuros absorvem mais calor, aquecendo mais rapidamente. Em 2002, a geleira Larsen B, na Antártica, com 3.250 quilômetros quadrados de extensão e 220 metros de espessura, colapsou após 12 mil anos de estabilidade. A água aquecida penetra mais profundamente nas geleiras, acelerando o processo. O degelo do lado oeste da Antártica aumentaria o nível do mar em 3 metros, com efeitos catastróficos para as regiões costeiras do Brasil e do mundo. Felizmente, a região leste continua estável, mais do que o previsto dez anos atrás. Se derreter, o aumento do nível do mar seria de *60 metros*. Cerca de 200 milhões de pessoas vivem abaixo de 5 metros do nível do mar. Para onde essas pessoas iriam? Para o interior, numa migração sem precedentes na história.

- **Aumento do nível do mar:** o mar está subindo, a uma taxa atual de 3 milímetros por ano, e chegará a um total de um metro até 2100 se nada for feito para reduzir a emissão de gases que causam o efeito estufa. Ao menos desde a fundação do Império Romano que não se vê isso. O colapso das geleiras na Antártica aceleraria dez vezes essa taxa. Investigando fósseis de corais no Taiti datando de 150 mil anos, cientistas ficaram alarmados com o aumento do nível do mar durante a última era glacial, em torno de 14.650 anos atrás. O mar subiu 14 metros, a uma taxa de 14 milímetros por ano. Ao menos metade desse aumento foi causado pelo degelo parcial da Antártica.

- **Temperaturas extremas:** A previsão anterior era de que o aquecimento global intensificaria tanto períodos mais quentes quanto mais frios. Essa intensificação vem ocorrendo apenas com os períodos mais quentes. Quando a umidade sobe, você sua mais e seu coração bate mais rápido, de modo a regular a temperatura do seu corpo. (Se você é corredor, sabe o que ocorre durante uma corrida em umidade alta.) A um determinado momento, esse mecanismo natural de refrigeração começa a falhar, causando desidratação severa. Em 2015, ondas de calor na Índia e no Paquistão mataram milhares de pessoas. Ethan Coffel, da Universidade de Columbia nos EUA, prevê que, até 2060, 250 milhões de pessoas estarão expostas a níveis letais de calor e umidade. Por outro lado, as frentes frias serão cada vez mais raras.

Passados treze anos desde o lançamento do filme, a situação é ainda mais grave. A maior dificuldade para a aceitação dessas previsões pelo público é que não são imediatas ou relacionadas com um evento específico. É bem mais conveniente não se preocupar com uma previsão, a menos que haja urgência ou um mecanismo transparente de causa e efeito. Se os cientistas pudessem afirmar, com certeza absoluta, que, no dia 23 de janeiro de 2025, o mar invadiria o Rio de Janeiro, alagando 50% da cidade, a coisa seria diferente. Mas não é assim que funciona esse tipo de ciência. Cientistas fazem previsões estatísticas, baseados na análise detalhada dos dados, trocando informações em conferências e publicações especializadas. O processo não é perfeito (alguma atividade humana é?), mas tem a enorme vantagem de se autocorrigir. Quanto mais estudamos um determinado assunto, mais aprendemos sobre ele. É o único método que temos para saber o que poderá ocorrer no mundo natural com uma margem respeitável de certeza.

Pondo esses treze anos em perspectiva, não há dúvida de que o aquecimento global é uma realidade, e que já está afetando padrões climáticos. É perfeitamente consistente com o funcionamento da ciência que o ritmo dessa mudança não seja *exatamente* como previsto treze anos atrás. Mesmo assim, o que sabemos hoje é mais do que suficiente para determinar as causas do que está ocorrendo. Deveria, também, ser mais do que suficiente para gerar uma mudança de perspectiva global, tanto em nível individual quanto em nível corporativo e político. Os dados existem, e são acessíveis aos que querem entender o que de fato está ocorrendo. A verdade do aquecimento global pode ser inconveniente, mas é a nossa verdade, que dividimos coletivamente nesse planeta de recursos finitos. Se existe uma lição da história que podemos usar aqui, é que se recusar a confrontar uma crise inevitável jamais será uma boa estratégia.

# Viver a vida ou registrá-la nos celulares? Essa é a nova questão

De alguns anos para cá, uma transformação profunda vem ocorrendo em nossas vidas, mesmo que poucos reflitam sobre ela. Com a rápida evolução dos celulares, ficou tão fácil capturar imagens da vida, que o que antes era complicado e oneroso — comprar um filme fotográfico, levar a câmera a tiracolo, revelar o filme, pagar, voltar para pegar as fotos reveladas — hoje é algo que todo mundo (ou quase) pode fazer. Tudo é devidamente registrado, do mais significativo ao mais trivial.

Cada um de nós é a estrela principal do grande filme da nossa vida, e capturar os momentos que julgamos importantes é construir e registrar, aos poucos, essa narrativa pessoal. O filme da sua vida vive, virtualmente, nas redes sociais: no YouTube, alguns vídeos viram "virais", atingindo milhares e até milhões de pessoas em horas. Cachorros salvando animais que se afogam, aviões em pane, jogadores de videogame seguidos por adolescentes do mundo inteiro, cenas variadas da vida de indivíduos — cômicas e trágicas — são compartilhadas globalmente.

Por um lado, isso faz sentido: nossas vidas são importantes, e queremos dividi-las, ser vistos e apreciados, tanto pelos amigos quanto por estranhos. Mas, por outro lado, essa compulsão de capturar a vida tecnologicamente acaba por nos separar dela, criando um distanciamento do momento, da experiência visceral de estarmos vivos. Vivemos mais para mostrar aos outros as nossas vidas do que para apreciá-las a cada momento.

Essa transição começou *antes* dos celulares. Algo ocorreu entre o diário pessoal que trancávamos na gaveta e a câmera de vídeo portátil. Por exemplo, em junho de 2001, levei um grupo de ex-alunos da minha universidade num cruzeiro para observar um eclipse total do Sol na África. No navio, encontrei vários "caçadores de eclipse", pessoas que viajam o mundo atrás de eclipses. Faz sentido, visto que poucos fenômenos naturais são tão espetaculares, capazes de despertar emoções tão profundas. (No meu livro *O fim da Terra e do Céu*, conto essa história em detalhe.) Durante alguns minutos, o mundo se transforma, o dia vira noite, o Sol coberto pelo disco da Lua, cercado pelos raios difusos da corona. Para vivenciar isso, temos que olhar para o céu com foco total, nos entregar às emoções do momento. Mas o que vi, quando o eclipse ia começar, foi o convés do navio repleto de câmeras e tripés, as pessoas afoitas para fotografar e gravar o evento.

As pessoas escolheram vivenciar esse momento tão raro e especial através de lentes e filtros, em vez de vivê-lo diretamente, olhos grudados no céu. Fiquei chocado, especialmente porque o navio tinha fotógrafos profissionais que iriam dar suas fotos para os passageiros. Mas as pessoas queriam as *suas* fotos e vídeos, mesmo sabendo que não seriam tão boas quanto as dos profissionais. Participei de dois outros eclipses, e é sempre a mesma coisa. As pessoas optam por capturar a realidade através de uma máquina, diluindo a emoção do momento.

Com os celulares e a mídia social, ficou infinitamente mais fácil arquivar e distribuir imagens. O alcance é potencialmente enorme, e o nível de gratificação mensurável (quantos "likes" uma foto ou vídeo ganha). Essencialmente, a vida moderna se transformou num evento social compartilhável.

Claro que existe um lado positivo disso tudo. Queremos — e devemos — celebrar momentos significativos, dividindo-os com pessoas queridas e próximas. O problema começa quando a ânsia de registrar o momento ofusca a experiência de vivenciá-lo. Músicos e comediantes reclamam que não podem ver seu público, "apenas um mar de iPhones e iPads". Vi isso num show dos Tribalistas a que assisti em fevereiro de 2019 em Boston. Algumas celebridades estão até proibindo o uso de celulares em seus casamentos, exigindo a presença concreta, e não virtual, de seus convidados.

Algo semelhante ocorre com palestras e aulas que usam PowerPoint. Assim que a tela se ilumina, os olhares focam nela, e o apresentador vira uma voz solta no espaço, incapaz de criar uma relação direta com a audiência. Por isso, tendo a usar essas tecnologias minimamente hoje em dia.

Sem querer ser muito nostálgico (mas sendo), nada suplanta o contato direto, o olho no olho, o estar presente no momento, com a família ou os amigos, e mesmo sozinho. Os celulares são incríveis, claro. Mas não deveriam definir como vivemos nossas vidas — apenas complementá-las.

# A mente permanece um mistério

Recentemente, a psicóloga americana Tania Lombrozo, pesquisadora da Universidade da Califórnia, em Berkeley, publicou um estudo com sua aluna de doutorado Sara Gottlieb, em que perguntaram a um grupo de pessoas "se seria possível que a ciência, um dia, explicasse vários aspectos da mente humana, da percepção visual à perda de memória e o amor".*

Em média, o estudo mostrou que as pessoas julgam que certos tipos de fenômenos mentais, como a percepção visual ou o tato, "são bem mais tratáveis por uma metodologia científica do que outros, como sentir orgulho ou amor à primeira vista", escreveu Lombrozo.**

De acordo com os participantes, a linha divisória entre o que a ciência pode ou não explicar é definida pela noção de que certos fenômenos mentais, como a devoção religiosa ou a tomada de decisões complexas, requerem um nível maior de introspecção e subjetividade. Incidentalmente, as mesmas que nos separam de outros animais capazes de uma percepção sensorial do mundo e até de algum nível de emotividade. Ou

---

* Sara Gottlieb e Tania Lombrozo. Can Science Explain the Human Mind? Intuitive Judgments About the Limits of Science. *Psychological Science*, v. 29, n. 1, 2018. Disponível em: <http://journals.sagepub.com/doi/10.1177/0956797617722609>.
** Tania Lombrozo. Can Science Explain The Human Mind? *National Public Radio*, 20 nov. 2017. Disponível em: <https://www.npr.org/sections/13.7/2017/11/20/565446970/can-science-explain-the-human-mind>.

## 198    MARCELO GLEISER

seja, as características mentais que nos definem como humanos são as que dificultam a missão da ciência.

"Esses achados não nos dizem o que a ciência pode ou não explicar", escreveu Lombrozo, "mas o que as pessoas *acreditam* que a ciência possa ou não explicar." O estudo, portanto, aponta para a seguinte questão: "Se não a ciência, o que as pessoas acham que explica a mente humana?"

Esse é um ponto essencial, que merece maior escrutínio. Talvez o problema comece com o uso da palavra "explicar". Será que a mente humana é *explicável*?

Este é um problema antigo. Já em 1848, o grande físico inglês John Tyndall discursou sobre essa questão numa apresentação para a Seção de Física da Associação Britânica para o Avanço da Ciência. Traduzo o texto com comentários maiores em meu livro *A ilha do conhecimento*:

A passagem da física do cérebro aos fatos da consciência é impensável. Certamente, um pensamento e uma correspondente ação molecular ocorrem simultaneamente. Mas não temos um órgão intelectual, ou mesmo qualquer traço deste órgão, que nos permite passar de um processo ao outro. As duas ações aparecem juntas e não sabemos por quê. Mesmo se nossas mentes e sentidos fossem expandidos e fortalecidos de modo a permitir que víssemos e sentíssemos os detalhes das moléculas em ação no cérebro; mesmo se pudéssemos seguir seus movimentos e agrupamentos, suas descargas elétricas, e se, ao mesmo tempo, tivéssemos um conhecimento íntimo dos estados de pensamento e emoção correspondentes a essas ações, ainda assim não teríamos avançado na solução do problema. Como esses processos físicos são conectados com o funcionamento da mente consciente? O abismo entre as duas classes de fenômenos continuaria sendo intelectualmente intransponível.

Em outras palavras, podemos identificar a atividade fisiológica que corresponde a uma emoção qualquer, localizando-a em uma ou mais áreas do cérebro. Podemos identificar os neurônios em ação, e até mesmo as moléculas que fluem de um ponto a outro quando sentimos a emoção. Mas esse tipo de descrição científica dos fenômenos em torno de uma emoção não ilumina a emoção propriamente dita. Algo fica faltando, um lapso na argumentação que é incapaz de conectar os fenômenos físico-químicos e a experiência inefável da emoção em si.

E não precisa ser algo tão complexo quanto o amor ou uma experiência religiosa. Chutar uma pedra também funciona, já que é possível localizar as regiões do cérebro associadas com a dor, mas não como a ação desses neurônios específicos faz com que possamos *sentir* dor ou, em certos casos, ter lágrimas nos olhos. (O mesmo vale para membros fantasmas.)

Isso é o que filósofos como David Chalmers e Colin McGinn chamam do Problema Difícil da Consciência.

Um dos obstáculos que encontramos ao aplicar a metodologia científica convencional ao problema da mente é que emoções são difíceis de "objetificar", ou seja, de isolar "do resto". Quando chutamos uma pedra, não é apenas o cérebro que está envolvido: a dor é uma experiência que une corpo e mente de forma inseparável, iniciada no ponto de contato, capaz de fazer nossos olhos lacrimejarem, mas que é orquestrada no cérebro. O amor é semelhante. Podemos sentir a emoção dele no corpo, os hormônios acelerando o coração e o corpo exalando feromônios. Mas amar alguém é algo que transcende uma descrição hormonal. Existe tanto uma dimensão fisiológica ligada à experiência do amor quanto algo único, pessoal e subjetivo, algo que não conseguimos objetificar. E o que a ciência não consegue objetificar, tem problema em descrever.

O estudo de Lombrozo e o eloquente discurso de Tyndall expressam a intuição de que uma abordagem estritamente reducionista deixa de capturar algo essencial. Não é que a ciência jamais poderá explicar a mente humana, ou que o problema vem de não podermos sair de nossas mentes para contemplá-las objetivamente. O problema é que uma abordagem de causa e efeito localizada, de neurônios específicos conectados por ligações sinápticas com seus vizinhos, não captura a complexidade multidimensional do que acontece. E, mesmo com ela, a passagem do fenômeno à emoção continua misteriosa.

Temos enorme dificuldade em qualificar como a físico-química que ocorre ao nível neuronal se transforma numa emoção específica. Talvez seja possível algum progresso se, um dia, formos capazes de criar máquinas com um nível rudimentar de autoconsciência, cujo comportamento não se reduz a seguir instruções num programa, como fazem os computadores atuais. Se pudéssemos observar a emergência dessas mentes no ato, talvez aprendêssemos alguma coisa sobre as nossas.

Mas estamos ainda longe de inventar esse tipo de máquina. Continuamos, tal como Tyndall e seus colegas vitorianos, profundamente ignorantes sobre como ocorre a passagem da físico-química do cérebro aos fatos e emoções subjetivas da consciência.

# O homem que quer ser Deus: Frankenstein aos 200 anos

Em meados do século XIX, o naturalista americano Ralph Waldo Emerson escreveu em seu ensaio *Natureza*: "O homem é um deus em ruínas."

Quando nossos antepassados contemplaram pela primeira vez a dimensão do divino — e isso pode ter ocorrido ainda antes do *Homo sapiens*, com os neandertais —, causaram uma ruptura entre a condição humana e o eterno.

Desde então, temos consciência de nossa mortalidade, e o sofrimento que vem da perda de entes queridos tem sido nossa bênção e nossa maldição.

Em 1818, Mary Shelley publicou a primeira edição de seu romance gótico *Frankenstein, ou o Prometeu Moderno*. Com apenas 21 anos, jamais poderia imaginar que sua obra se tornaria uma das mais famosas na história da literatura. Desde a sua publicação, já são mais de trezentas edições do romance e ao menos noventa filmes inspirados por ele, fora inúmeros livros e ensaios acadêmicos.

A origem do livro é quase legendária. Numa noite tempestuosa de verão, em junho de 1816, Mary Shelley, seu marido Percy Bysshe Shelley, um brilhante escritor com ideias avançadas para o seu tempo, e o seu amigo e grande poeta Lord Byron estavam numa mansão às margens do Lago

202  MARCELO GLEISER

Genebra, na Suíça, impressionados com a força da Natureza. Para passar o tempo enquanto os raios caíam, pensaram numa competição: venceria quem escrevesse a história mais macabra.

A morte parecia perseguir a jovem Mary Shelley. Em março de 1815, perdeu a filha apenas algumas semanas após o parto. A perda do bebê traumatizou Mary profundamente, que sofria com visões do bebê morto. Num sonho, viu a filha ressuscitar após ser massageada vigorosamente em frente ao fogo da lareira. No romance *Frankenstein*, a massagem é substituída por correntes elétricas passando pelo corpo.

Shelley havia lido sobre os experimentos de Luigi Galvani e Alessandro Volta, explorando a conexão entre a eletricidade e a contração muscular. Usando a ciência de ponta de sua época, escreveu um conto caucionário, que explora os perigos da relação entre a ciência e o poder. (O leitor interessado pode consultar meu livro *Criação imperfeita*, onde, nos capítulos 37 e 38, conto essa história em detalhe.)

A ciência pode ir longe demais na busca pelo conhecimento?

Eis o que Shelley escreveu no prefácio da terceira edição de sua obra, publicada em outubro de 1831:

> Vi o pálido estudante das artes insólitas ajoelhado perante a coisa que havia criado. Vi o fantasma hediondo deitado e, após a ação de algum engenho poderoso, mostrar sinais de vida, movendo-se com dificuldade, semivivo. Minha história tem que aterrorizar o leitor, pois é supremamente terrível o efeito de qualquer atividade humana que tente zombar do grandioso mecanismo do Criador. O sucesso apavoraria o artista, que abandonaria sua criação medonha, esperando que, sozinha, a pequena centelha de vida que lhe dera se apagaria.

O cientista foi longe demais em sua invenção, "zombando" do poder divino ao tentar recriar a vida: o homem tentando ser deus. Ao escrever a obra, Shelley parece buscar uma espécie de pró-cura, a cura emocional através da busca, meditando sobre a morte da filha, abandonando a esperança

O CALDEIRÃO AZUL    203

de trazê-la de volta à vida através de alguma intervenção científica. A mensagem é clara: a morte tem que ser aceita como sendo final; a criatura ressuscitada artificialmente não é humana, habitando uma estranha realidade entre o viver e o não viver, ao mesmo tempo poderosa como um deus e profundamente solitária, abandonada pelo seu criador. (E não é esta a condição humana?)

Avançando duzentos anos, a ciência de ponta da nossa época combina a eletricidade, a tecnologia digital e a genética. Muito mudou desde Galvani e Volta. Mas não a esperança de muitos de que a ciência poderá, um dia, driblar a morte, criando uma espécie de imortalidade, transcendendo a fragilidade do corpo. Os transumanistas — pessoas que buscam criar um ciborgue, um híbrido entre o humano e as tecnologias — acreditam que isso ocorrerá em breve. Possivelmente, por meio da clonagem genética, ou numa transferência da informação que existe em seu cérebro — capturada no arranjo de seus neurônios e de suas conexões sinápticas — para uma máquina capaz de "reacendê-lo", por assim dizer, tornando você, sua essência, numa espécie de criatura digital que poderá passar de máquina em máquina como um programa de computador: a versão digital da Ressurreição!

O inventor e autor Ray Kurzweil prevê a chegada da "Singularidade" — o dia em que máquinas inteligentes sobrepujarão os humanos — em torno de 2040. Para tal, Kurzweil extrapola a taxa de crescimento atual da capacidade de processamento de dados em computadores, concluindo que, em breve, computadores poderão simular o cérebro humano. Com isso, prevê a emergência de uma consciência digital, a chegada da Singularidade.

A extrapolação de Kurzweil é bem superficial, dado que não podemos prever o avanço da tecnologia como se fosse uma lei da Natureza. Não temos, também, a menor ideia do que significa transferir a informação armazenada no cérebro de uma pessoa para uma máquina, ou se esse tipo de operação faz sentido. Pouco sabemos sobre o consciente humano, ou se pode ser decodificado como informação.

Ainda bem. Mary Shelley escreveu sobre os perigos de estender a ciência a domínios em que temos pouco, ou nenhum, controle de seus produtos. Victor Frankenstein arrependeu-se do que criou, e o livro termina tragicamente.

A pesquisa científica é irreversível. Ideias não podem ser apagadas por completo, mesmo quando têm consequências éticas terríveis. Alguém, ou algum grupo, irá explorá-las para seu próprio benefício, mesmo se em detrimento de outros. Assim é a natureza humana.

Talvez o melhor modo de celebrar o bicentenário de Frankenstein seja criando uma organização internacional com a missão de garantir salvaguardas que controlem esse tipo de pesquisa, incluindo a modificação intencional do genoma humano. Por exemplo, a nova tecnologia conhecida como CRISPR, capaz de editar a ação de genes específicos. Como muitas inovações científicas, essa tecnologia tem enorme potencial, tanto para o bem (na cura de doenças genéticas) como para o mal (na criação de animais e mesmo de semi-humanos com características diversas ou de bebês por design). Em nível mais extremo, em princípio ao menos, CRISPR é capaz de modificar a espécie humana como um todo, já que a modificação no genoma passaria para a prole. Seria a vingança final de Frankenstein, a espécie humana criando seu próprio fim.

Considerando, também, a possibilidade e a ameaça da inteligência artificial à nossa existência, como vimos no ensaio "O futuro das mentes e das máquinas que pensam", não é à toa que a obra de Mary Shelley continua sendo tão influente. Todos deveriam ler e assimilar suas lições. Lembre-se do que aconteceu com Prometeu.

# Bem-vindos à Era da Transcendência Digital

Tenho idade suficiente para me lembrar dos antigos telefones rotatórios, aqueles em que a gente tinha que pôr o dedo no número para "discar".

Imagino que a maioria das crianças de hoje não saberia o que fazer com um deles. Já meus avós, se eu pudesse trazê-los de volta à vida, não teriam a menor ideia do que fazer com um telefone celular.

Ao mudar como vivemos nossas vidas, a tecnologia também nos muda, irreversivelmente.

Continuando com o telefone como ilustração, uma transformação profunda ocorreu na sociedade nos últimos quarenta anos, mais ou menos o período da transição entre os telefones rotatórios e os celulares. No caso dos rotatórios, a família dividia um único número, o número de casa. Raramente, famílias tinham mais de um número na mesma casa. Se alguém estivesse usando o telefone, você tinha que esperar a vez. A linha estava ocupada.

Já os celulares são aparelhos pessoais. O telefone é *seu*. Ao contrário de uma caneta ou até um carro, a verdade é que ninguém gosta de dividir o celular com outro. As pessoas não gostam nem que outros olhem o seu, imagine usá-lo.

Por que isso?

A resposta mais imediata é que o celular não é meramente um aparelho que você usa para se comunicar com outros ou para se conectar com a internet. O celular é uma extensão digital de quem você é. Ele faz parte da sua pessoa. Você e a máquina são um.

Não acredita? Imagine que, numa reunião no trabalho ou com amigos, você compare os celulares de todo mundo. (Se deixarem, claro.) Esquece os modelos que cada um escolhe; isso depende de muitos fatores, como quando decidimos que carro comprar, qual a cor etc. Foque sua atenção nos aplicativos de cada um. Certamente, muitos serão iguais: correio, alarme, câmera, Twitter, WhatsApp... Mas cada celular terá uma coleção de aplicativos única, que é só sua.

Essa coleção individual de aplicativos é uma espécie de *impressão digital digital* do dono do celular. Mesmo se considerarmos que, estatisticamente, é possível imaginar dois celulares com o mesmo grupo de aplicativos, imagino que a probabilidade de isso ocorrer seja bem baixa, mesmo entre pessoas próximas ou da mesma família.

É por isso que, como escrevi acima, o celular é uma extensão digital da sua pessoa. Através dos aplicativos, o instrumento permite que você seja mais você, amplificando o seu senso de quem você é, o seu alcance no mundo. Ele estende sua presença muito além do seu corpo, permitindo que você esteja, virtualmente, em qualquer lugar do mundo, participando de conversas com pessoas em outras cidades, países, ou pertencendo a culturas muito diferentes da sua.

O celular dissolve a essência de quem você é num código digital transportável através do mundo. Juntando a isso o acesso à informação, a verdade é que nunca estivemos mais próximos da onipresença e da onisciência. O celular, ao menos metaforicamente, nos aproxima de uma existência divina: sem um corpo e cientes de tudo o que ocorre no mundo.

O que explica por que os celulares são tão sedutores. Se não temos um, ou porque esquecemos o nosso em casa ou porque quebrou, nos sentimos confinados a uma espécie de solitária digital, separados de parte de quem somos e do resto do mundo. São poucas as pessoas que, hoje, optam por não ter um. O "homo analogicus" é uma espécie em extinção acelerada!

Bem-vindos à Era da Transcendência Digital.

Esse processo é irreversível. Não temos como voltar atrás. Podemos tentar monitorar o uso, e até desligar o aparelho de vez em quando. Mas difícil acreditar que a maioria das pessoas seja capaz de pôr o seu na gaveta, ou de recusar usá-lo por períodos longos (dias). A menos que seja uma espécie de desafio pessoal, ou uma viagem de auto(re)descoberta, como as pessoas que passam uma semana num retiro budista em meditação intensiva.

Com os celulares, expandimos nossa presença no mundo, ampliando nossos horizontes sociais e culturais. Quando adicionamos as várias mídias sociais, podemos expandir nossas tribos, estabelecendo contato com pessoas que dividem nossos valores, mesmo se vivendo em algum outro canto do mundo. Mais dramaticamente, os celulares permitem que nossas vidas sejam transferidas para o éter digital, baixáveis em qualquer lugar do mundo, por quem quer que seja. Eles permitem que sejamos admirados, até mesmo endeusados, por outras pessoas. Ou, claro, odiados e invejados. A transcendência digital e o narcisismo estão intimamente ligados.

Acho que poucos estavam preparados para isso. O lado bom dessa tecnologia, que nos permite estar mais próximos dos amigos e da família, ou dividir momentos importantes ou informações relevantes, é indiscutível. Mas existem problemas sérios também. Por exemplo, como evitar o narcisismo digital? Todas essas fotos, milhares delas, divididas pelo Instagram e Facebook; todos esses detalhes das nossas vidas, a maioria irrelevantes, disponíveis na nuvem, acessíveis a todos. O tempo investido — nas fotos, na sua edição, na sua disseminação, na contagem dos "likes" — é um ritual do Eu, milhões de pessoas buscando uma audiência, clamando pela atenção dos outros. E o que parece estar acontecendo é o efeito inverso, as pessoas se sentindo cada vez mais sozinhas, apesar de toda essa comunicação. O celular se transforma numa barreira entre você e o mundo.

O tempo passa tão rápido que queremos nossas vidas registradas na memória, mesmo se virtual. Se só morremos quando as pessoas se esquecem de nós, na nuvem digital podemos viver para sempre. Você já visitou o website ou página de Facebook de alguém que morreu?

Os que não querem participar da nova era digital se sentem pressionados, náufragos do passado, em um mundo que afundou. Quem não participar fica para trás. E é esquecido.

Como toda outra tecnologia com profundo poder transformador, não há como escapar. E não temos por quê. Os celulares e a mídia social são uma extensão digital de quem somos, amplificando o que temos de bom e de ruim, reposicionando nossa existência numa dimensão virtual.

Espero, apenas, que essa festa do Eu não acabe por criar uma apatia social: as pessoas, cada vez com menos tempo, ficando cansadas dos detalhes dos outros, perdendo o interesse em se comunicar e trocar experiências e informação. Mas acho pouco provável que isso ocorra. A aliança entre as forças de mercado, que promovem sem trégua essa transcendência digital, com nosso apetite pelo que é belo, estranho ou violento vai nos manter flutuando na nuvem virtual por muito tempo, enquanto tentamos, como sempre fizemos, entender quem somos e qual o sentido das nossas vidas.

# Liberdade pessoal e os perigos da ditadura digital

Será que a humanidade está criando o seu próprio fim? Será que somos umas das últimas gerações da espécie *Homo sapiens*, que, em breve, será suplantada por seres cibernéticos que mal se parecem com seus criadores (nós)?

No dia 24 de janeiro de 2018, o historiador e autor Yuval Harari apresentou sua visão do futuro no Fórum Mundial de Economia em Davos, na Suíça. Harari é famoso no Brasil por seus best-sellers *Sapiens: uma breve história da humanidade* e *Homo Deus: uma breve história do amanhã*.

Numa apresentação fascinante, Harari construiu um futuro terrível — mas possível — baseado na sua tese de que estamos, agora, na terceira grande revolução, o controle da informação, que segue o controle da terra (Revolução Agrária) e o controle das máquinas (Revolução Industrial). O fim da nossa espécie, segundo ele, ocorrerá quando for possível extrair de cada indivíduo dados biométricos de alta precisão que serão, então, analisados por um sistema centralizado de decisões controlado por governos ou corporações (ou ambos). Dados biométricos incluem, por exemplo, o batimento cardíaco, a pressão arterial, a composição do suor, a dilatação das pupilas etc.; uma espécie de detector de mentiras de alta sofisticação que permite mapear fisiologicamente as emoções.

Imagine, sugeriu Harari, que o governo da Coreia do Norte force seus cidadãos a usar um bracelete que transmite dados biométricos aos centros de dados do governo. Com isso, o governo poderá monitorar o que as pessoas pensam do seu líder e, essencialmente, como vivem o seu dia a dia. Poderão, até, saber mais sobre você do que você mesmo, visto que muitas vezes nem sabemos o que está ocorrendo com nossas emoções.

A visão apocalíptica de Harari ecoa, com tons de historiador, a chegada da "Singularidade" do inventor americano Ray Kurzweil, desprovida da expectativa um tanto romântica de Kurzweil de que a tecnologia nos trará a imortalidade. (Ao menos, uma versão de imortalidade, com nossa essência, a informação de quem somos, transferida a computadores com capacidade de emular nosso consciente. Veja o ensaio "O homem que quer ser Deus".) Convido os leitores que querem saber mais sobre Kurzweil a assistir ao documentário *Transcendent Man* (Homem Transcendente).

A ideia central de Harari é que estamos próximos a conseguir modificar o "programa informático da vida": se pensarmos em organismos como sendo algoritmos, basta termos capacidade de computação e acumular dados biométricos suficientes para criarmos qualquer tipo de criatura viva. Afinal, se a vida é como um programa de computador (o software) que roda nas reações bioquímicas que definem nosso metabolismo (o hardware), podemos modificar o programa e criar novos algoritmos correspondendo a outros tipos de criatura. Juntando a isso os avanços na área da inteligência artificial, podemos contemplar o fim da nossa espécie, que se tornaria obsoleta. Outro modo de se ver isso: pela primeira vez na história, podemos controlar as rédeas da evolução das espécies, que deixa de depender da seleção natural.

As questões essenciais, portanto, são: Quem controlará esses dados? Como essa nova fonte de riqueza será regulada? Temos leis que regulam a possessão da terra e das máquinas. Quais as leis que regulam os dados e a privacidade das pessoas? Harari especula que a maioria das pessoas doará suas informações privadas de graça, inclusive os seus dados biométricos, especialmente em troca de uma saúde melhor. Ou, numa ditadura, talvez não tenham outra opção. Ou, ainda, e mais pertinente com o que já está acontecendo, pessoas fornecerão dados biométricos em troca de serviços oferecidos por empresas: "Receba suas entregas de graça em casa e muitas outras ofertas se você nos passar os dados biométricos registrados no seu relógio esportivo ou Fitbit."

Harari é corretamente vago ao prever quando isso vai ocorrer: décadas, talvez um século, disse. Porém, na sua visão, como na de Kurzweil, esse futuro é inevitável.

Obviamente, ninguém pode prever o futuro. O que podemos fazer é extrapolar o que sabemos no presente da melhor forma possível. Não há dúvida de que computadores serão cada vez mais poderosos, e que a genética e a bioengenharia continuarão a avançar rapidamente. A ciência de dados (do inglês, *data science*), que atende principalmente aos interesses de empresas e governos, vai ficar cada vez mais sofisticada. Forças de mercado e a gana dos investidores vão continuar a alimentar a nova revolução. Será que não existem outras tendências, capazes de equilibrar essa inevitabilidade?

Felizmente, acho que sim.

Os tempos estão mudando de várias formas. Em primeiro lugar, estamos testemunhando o surgimento da ética empresarial. Um número cada vez maior de empresas está percebendo que, se não alinharem seus valores com os dos seus clientes, irá perdê-los. Um exemplo recente nos EUA é o boicote de várias empresas à Associação Nacional do Rifle, que promulga o direito do cidadão ao porte de armas de fogo. (Lamentavelmente, um projeto do Senado Federal no Brasil propôs a revogação do Estatuto do Desarmamento no Brasil.* Não existe modelo a ser copiado pior do que o americano, dados os constantes massacres em escolas e lugares públicos. Mas este é um assunto para outro ensaio.)

O consumidor tem poder, mais do que imagina. Empresas e instituições com padrões éticos baixos podem ser forçadas a mudar de posição.

Outro ponto essencial é que a ciência tem limites, em particular em relação a quanto podemos saber do mundo e de nós mesmos. A convicção, inclusive de Harari, de que a ciência irá saber tudo, conquistar tudo,

---

* Disponível em: <https://www12.senado.leg.br/ecidadania/visualizacaomateria?id=130695>.

não tem nenhum respaldo na prática ou historicamente. A onisciência é reservada aos deuses; a tecnologia é limitada, mesmo se avança sempre. Monitorar a atividade de 85 bilhões de neurônios e dos neurotransmissores fluindo através de trilhões de sinapses no cérebro humano é impraticável. No máximo, podemos ter um mapa incompleto do que ocorre no nosso corpo e cérebro.

Harari parece confundir o mapa (como descrevemos o mundo) com o território (o mundo como ele de fato é), um erro típico de uma cultura que defende o triunfalismo científico como uma espécie de nova religião. Nossa percepção da realidade depende fundamentalmente do quanto podemos ver do mundo, algo que explorei em detalhe em meu livro *A ilha do conhecimento*. A ciência jamais responderá a todas as perguntas pelo simples motivo de que jamais saberemos todas as perguntas que podem ser feitas! Ao avançar, a ciência encontra novas perguntas que não poderia ter antecipado.

De qualquer forma, mesmo com dados biométricos limitados, governos e empresas podem causar sérios danos. Concordo com Harari que precisamos começar essa conversa sobre nosso futuro coletivo imediatamente. Concordo, também, que de forma alguma essa conversa pode ser relegada aos políticos que, tipicamente, pouco ou nada sabem sobre os avanços científicos. Sendo assim, quem, então, irá controlar o armazenamento de dados pessoais? Quais os limites e salvaguardas que devem ser impostos para garantir nossa liberdade na era da ditadura digital?

Precisamos de uma pluralidade de opiniões: cientistas, humanistas, empresários, artistas, advogados, líderes comunitários. O perigo maior é a apatia, é o não fazer nada. Historicamente, as maiores tensões sociais ocorreram quando o controle da terra e das máquinas ficou na mão de poucos. Com os dados, temos o mesmo desafio, e com um bem muito mais fluido, muito mais difícil de controlar do que a terra a ser arada ou as máquinas industriais.

No meio-tempo, cuidado com os seus dados biométricos, aqueles que você capta no seu Fitbit ou relógio esportivo e divide inocentemente na rede, achando que só você e seus amigos têm interesse neles.

# Quando um bebê tem três progenitores: revolução na genética aponta para futuro incerto

Progenitor não é uma palavra muito usada; mas no contexto de um novo avanço na tecnologia de reprodução, pode voltar a ser. Afinal, "progenitor" vem de gene, e essa nova tecnologia faz algo que mistura o incrível com o fantástico: combina os genes de três adultos para criar um bebê que, geneticamente ao menos, é filho dos três.

A tecnologia foi desenvolvida para permitir que pais portadores de mutações genéticas que causam doenças devastadoras na sua prole possam ter crianças saudáveis.

Em abril de 2016, um casal jordaniano contratou uma equipe americana para tentar a nova tecnologia. O procedimento precisou ser feito no México, pois a técnica é proibida nos EUA. Aliás, o único país do mundo aberto ao procedimento é o Reino Unido.

A mãe "verdadeira" sofre da síndrome de Leigh, uma doença genética que ataca o sistema nervoso e que causou a morte de suas duas primeiras crianças. Os genes da doença ficam no DNA da mitocôndria, uma organela localizada nas células onde ocorrem os processos bioquímicos responsáveis pela produção de energia. A mitocôndria é uma espécie de reator central da célula. Com apenas 37 genes, separados do resto dos genes que residem no núcleo da célula, a informação genética das mitocôndrias é passada de geração em geração pela mãe.

A nova técnica se aproveita desse isolamento genético das mitocôndrias. Os espermas do pai são usados para fertilizar artificialmente os óvulos da mãe verdadeira e os de uma doadora. Antes dos óvulos fertilizados começarem a se dividir para criar embriões, seus núcleos, que contêm a maior parte do material genético, são removidos. O núcleo do óvulo da mãe verdadeira é então enxertado no óvulo da doadora. Com isso, o óvulo que se transformará num bebê contém o DNA da mãe verdadeira e a mitocôndria saudável da doadora.

Com o casal da Jordânia, a técnica usada foi um pouco diferente; como muçulmanos, não queriam a destruição de dois embriões. Apenas um óvulo foi fertilizado, o da doadora já com o material genético da mãe verdadeira. O resultado final, um óvulo com o material genético de três pessoas, é o mesmo.

A técnica, sem dúvida incrível, levanta uma série de questões éticas. Pela primeira vez na história, um bebê humano tem o material genético de três pessoas. Isso significa que sua prole, se o bebê for uma menina, terá os genes da doadora e não apenas os do pai e da mãe verdadeiros. Para evitar esse problema, a equipe americana usou propositalmente um embrião macho.

Mesmo assim, não é claro que o bebê não terá problemas genéticos no futuro. Exames sugerem que uma quantidade pequena do DNA defeituoso da mãe verdadeira foi injetado acidentalmente no óvulo. O casal jordaniano se recusou a continuar testes com o seu bebê, o que invalida o procedimento como estudo científico de longo prazo.

A técnica foi repetida na Ucrânia, onde um casal tem um bebê de quinze meses, aparentemente sadio. Porém, muitos médicos e especialistas em ética questionam o procedimento. "Esse é um experimento ainda sem controle, em que uma tecnologia que não foi testada com cuidado está sendo oferecida comercialmente", disse Jeffrey Kahn, diretor do comitê da Academia Americana de Ciências que examinou a questão.

Até agora, quatro bebês de três progenitores nasceram na clínica ucraniana, localizada em Kiev, e outras mulheres estão grávidas. Ainda é cedo para saber se existem problemas de longo prazo com o procedimento que poderão afetar a saúde dos bebês.

Outros cientistas veem o procedimento como o primeiro passo na direção perigosa dos "bebês por design", em que os pais escolhem o material genético do seu bebê. A tecnologia atual ainda está longe disso, mas a mistura do material genético de três pessoas é uma inovação essencial. O que impede que partes do DNA de pessoas diferentes sejam combinadas para criar uma "supercriatura"?

Não que as novas mães estejam se preocupando com isso. Em meio às fraldas sujas, os choros e sorrisos, celebram todos os dias a criatura que carregam nos braços. "No final, somos todos filhos de Adão e Eva", disse a mãe ucraniana. "Estamos todos conectados."

Adão e Eva ou não, a verdade é que todas as criaturas vivas estão conectadas pela história da vida na Terra. Como vimos em ensaio anterior, todas as espécies têm o mesmo ancestral comum, uma bactéria que viveu há bilhões de anos. O que mudou, agora, é que uma dessas espécies está desenvolvendo tecnologias capazes de reescrever sua história, controlando sua evolução genética. Onde isso vai dar, ninguém sabe.

# A vida brilhando nas telas

Numa visita recente ao magnífico Grand Canyon, nos EUA, me surpreendi com o número de pessoas tirando selfies e olhando para os seus celulares em vez de aproveitar o lugar real onde estavam, integrando corpo e mente ao cenário mágico bem à sua frente.

Este é apenas um dos sintomas que vejo como um novo fenômeno global: como vimos anteriormente, parece que todo mundo quer ser estrela — a estrela da sua própria vida.

Viver a vida através de experiências concretas tornou-se secundário; o importante é registrar tudo, fazendo selfies e vídeos, e dividindo-os rapidamente nas plataformas de mídia social. Canais do YouTube se multiplicam exponencialmente. Superstars no YouTube têm milhões de seguidores. Meus filhos, por exemplo, veneram alguns deles, sujeitos de 20 ou 30 anos que fazem vídeos jogando videogames com comentários cômicos e muito palavrão. A fórmula é mágica.

Os celulares e seus primos mais próximos, os tablets, estão nos transformando. A vida brilha nas telas, o tempo todo. No furor de gravar tudo o que acontece para dividir com os outros, estamos nos esquecendo de nos engajar com o momento real e com as pessoas à nossa volta.

Com certeza, alguns vão criticar o que estou dizendo, afirmando que é típico de uma geração mais velha, que sempre reclama das novas tecnologias. No meu caso, sendo físico, eu vivo cercado de novas tecnologias, essenciais no meu trabalho de pesquisa. Minha preocupação é outra, que vai mais fundo. É o resgate da condição humana.

Na era das telas individualizadas, a vida se torna um evento a ser apreciado pelos outros e não para contribuir com o crescimento de cada um. O foco é no outro, sempre na performance, e não no conteúdo pessoal do que está acontecendo.

Os celulares e a mídia social permitem compartilhar informação de forma fácil e eficiente, seja ela fotos e vídeos ou documentos importantes. O alcance é muito maior, e a gratificação (quantos "likes" você ganha) é quantitativa. A vida vira um evento social, dividido com um monte de gente que pode, então, julgar o seu "valor" como pessoa. É como se estivéssemos presos num episódio da série *Black Mirror* da Netflix.

Claro que parte disso é ótimo. Não há nada de errado em celebrar os momentos significativos das nossas vidas, e dividi-los com as pessoas queridas. O problema começa quando a urgência de dividir o momento com os outros fica maior do que o desejo de vivenciar a experiência. O comediante americano Conan O'Brien, entre muitos outros, reclamou que nem consegue mais enxergar o seu público, vendo apenas um mar de celulares e tablets registrando (ilicitamente) o seu show. Como escrevi acima, algumas celebridades estão proibindo os convidados em seus casamentos de usar celulares. Nick Denton, fundador da Gawker, disse a eles: "Você pode cuidar da sua presença virtual — e dos seus seguidores no Twitter e Instagram — no dia seguinte."

É claro que nossas mensagens, fotos e vídeos na mídia social podem ser gratificantes quando amigos, família e fãs respondem. Sentimos que nossa vida é importante. Mas esse tipo de gratificação pessoal é efêmero. Vem e vai rapidamente. Para muita gente, serve para tampar um problema mais profundo, talvez uma insegurança, ou solidão. Basear sua vida no que os outros pensam é uma receita segura para gerar muita ansiedade e frustração. Esvazia o seu âmago, enchendo-o com a esperança de que outros irão satisfazer a sua necessidade de viver uma vida plena, com significado. Viver pelos outros nunca dá certo, algo que as celebridades sabem muito bem.

O CALDEIRÃO AZUL 219

Criar um senso de si baseado no que os outros pensam não é algo novo. A diferença é que, na era das telas, ficou muito fácil se conectar com muita gente, em qualquer canto do mundo. Cada selfie ou vídeo promete a fama: "Sou lindo/a, especial, e as pessoas vão ver isso e me admirar."

Esse alcance global é muito novo. Até recentemente, poucos tinham esse tipo de acesso a um número grande de pessoas. Os círculos sociais começavam e terminavam na família e num grupo relativamente pequeno de amigos locais. Agora, podemos nos conectar com pessoas em outros países, dividindo nossa vida com quem nem conhecemos. Temos, também, que lidar com os abusos e insultos, tanto daqueles dentro dos nossos círculos sociais como de estranhos. Um usuário pode se esconder por trás de um nome falso, atacando pessoas perversamente, causando sérios danos emocionais. Essa é a nova cara do covarde digital.

É tudo, então, apenas uma explosão de narcisismo coletivo? Felizmente, não. Muita gente usa as mídias sociais para promover causas sociais justas e dividir momentos de fato relevantes em suas vidas. Existem vídeos e podcasts de altíssima qualidade e alcance pedagógico. O acesso à informação de qualidade é absolutamente incrível, e cobre praticamente qualquer assunto. No nível social, muitos amigos e famílias fortalecem seus laços através dessa troca digital.

Por outro lado, existem aqueles que manipulam pessoas e grupos para ganho próprio. E existe muita besteira on-line, algumas inofensivas e outras perigosas, baseadas em preconceitos ofensivos ou extremismos ideológicos.

Não podemos — ou devemos — escapar da era em que vivemos. As telas não são nossas inimigas. No entanto, precisamos estar atentos para o que estamos fazendo, e não agir automaticamente, sem ter consciência de nossos atos e escolhas. Precisamos nos dar conta do conteúdo que pesquisamos nas mídias sociais, e não pular no trem sem saber onde está indo.

Mais importante, precisamos aprender a nos desengajar das telas e a nos reengajar com a vida real, sem o meio digital como ponte entre você e os seus amigos, sua família ou a Natureza.

O que me traz de volta à cena no Grand Canyon. As telas levam você para longe de onde você de fato está, focando sua atenção nos "outros", nos que estão do outro lado da mídia social, recebendo sua informação. Elas transformam o Grand Canyon, a praia, a festa, no palco da sua performance, sua vida virando um grande show para os outros.

Existe uma diferença fundamental entre usar uma tecnologia e ser usado por ela.

Na minha casa, usamos "dias de desintoxicação", sem telas para as crianças ou para nós. Tentamos criar um senso de equilíbrio entre a vida real e a virtual. Às vezes, vetamos todas as telas e focamos nossa energia e atenção na grande tela da realidade à nossa volta e nas relações diretas entre as pessoas, as emoções que criam laços emocionais profundos, desde um abraço bem forte a uma conversa franca, olho no olho.

Para mim, não tem espetáculo maior do que esse.

# Epílogo

Os ensaios aqui reunidos examinam quatro perspectivas complementares sobre o papel da ciência em nossas vidas, que vejo como essenciais nos dias de hoje. Na primeira parte, a relação entre a ciência e a espiritualidade. É muito comum ver a ciência como sendo desprovida de qualquer tipo de emoção; aquela coisa fria, repleta de cálculos e de experimentos complicados, que pouco tem a dizer sobre os questionamentos de natureza mais emocional que temos sobre a vida. A visão que tenho da ciência, e que, espero, tenha passado aqui, é completamente oposta a esta. Vejo a ciência como uma resposta aos anseios mais profundos que temos, uma tentativa de entender quem somos e o mundo em que vivemos, de decifrar as nossas origens e vislumbrar o nosso futuro. Nesse questionamento, a ciência se une à espiritualidade, visto que busca ampliar nossa visão de mundo, oferecendo um dos caminhos que temos para nos engajar com o mistério que nos cerca.

Aqueles que veem a ciência, por ter sua metodologia baseada numa racionalidade essencial para seu funcionamento, como o único caminho para nos questionar sobre o mundo têm, a meu ver, uma visão muito restrita do ser humano. Somos criaturas multidimensionais, capazes de vislumbrar a mesma situação através de prismas diversos. Não há dúvida de que a ciência fornece um caminho para o estudo quantitativo do mundo natural que é único e incontestável em seu sucesso. Por isso, dediquei minha carreira a ela. Mas a metodologia científica não define a ciência. Devemos, também, incluir o aspecto emocional, aquilo que leva pessoas tão diferentes a explorar, durante suas vidas, os fenômenos naturais e o que nos revelam sobre o mundo. Claro, existe o aspecto prático e aplicado da ciência, a construção de chips mais rápidos, de carros mais econômicos, de combustíveis mais limpos, de remédios mais eficazes. Mas essas aplicações são consequência de um conhecimento mais profundo que adquirimos da Natureza, que só ocorre quando exploramos seus aspectos mais fundamentais. Neste questionamento reside a semente da inspiração científica, que Einstein chamava de "mistério cósmico religioso".

Na segunda parte, exploro a importância do nosso planeta e da nossa espécie, visto sob o prisma da astronomia e cosmologia moderna. O que aprendemos, essencialmente, é que nosso planeta é raro, e nossa espécie mais rara ainda. Isso nos remete ao que chamo de "humanocentrismo", a doutrina que nos põe, metaforicamente, no centro moral do Universo. Visto que temos consciência da importância do nosso planeta e da vida nele, precisamos despertar uma consciência global, baseada numa nova moralidade que visa proteger a vida a todo custo. Isso implica em uma mudança de atitude tanto em nível individual (você fazendo a diferença!) como em nível social e corporativo. Dada a análise que faço da condição do mundo moderno na terceira parte, não vejo outra alternativa que possa garantir um futuro seguro e saudável para a nossa espécie.

Na quarta e última parte, examino o impacto da tecnologia moderna, especialmente da genética e das tecnologias digitais, no futuro da humanidade. Conforme argumentei, essas tecnologias estão, já, transformando nossa espécie, na medida em que ficamos cada vez mais hibridizados com nossos celulares e outros dispositivos digitais. Fala-se, até, num transumanismo, numa redefinição total da nossa espécie, que será parte carbono, parte eletrônica, como vemos em tantos filmes de ficção científica. O transumanismo, em seu sentido mais extremo, teria, como objetivo, a emancipação da nossa essência — a informação que nos define individualmente — da "prisão" do corpo e das suas limitações. Como argumentei, esse tipo de visão não só me parece impraticável cientificamente, como duvidável existencialmente. O que significa existir sem um corpo? Não temos a menor ideia. Mas essas tecnologias estão sendo, aos poucos, criadas, e precisamos ter as ferramentas conceituais para avaliar criticamente o que significam para o futuro da nossa espécie. Caso contrário, acabaremos prisioneiros de uma ditadura digital que nos controlará cada vez mais. Não me parece ser esse o futuro que queremos.

Temos muito trabalho pela frente. Aceitar, passivamente, a avalanche de mudanças que estamos experimentando sem um maior questionamento do que está acontecendo é receita certa para um desastre de proporções globais. A ciência, aliada à nossa busca por respostas e nosso fascínio pelo mistério que nos cerca, pode ser usada tanto como ponte para um mundo melhor, como para construir a pior distopia imaginável. Somos nós que devemos decidir o mundo em que queremos viver, respeitando as diferenças de cada um e sendo abertos para aprender com os que pensam de outros modos. O que não podemos fazer de modo algum é baixar os olhos, derrotados, convencidos de que o único caminho adiante é a inação.

Este livro foi composto na tipografia
ITC Officina Sans Std, em corpo 11/16, e impresso em
papel off-white no Sistema Digital Instant Duplex
da Divisão Gráfica da Distribuidora Record.